Yolande Vigeant

ESPOIR

pour les

MAL-AIMÉS

MIC[illegible] FORGET

Du même auteur:
Nous, les alcooliques, Éditions Le Manuscrit, 1985

Edimag

1880, rue Sainte-Catherine est, suite 2
Montréal, Québec H2K 2H5
Tél.: (514) 522-2244

Éditeur: Pierre Nadeau
Production: Hélène Noël
Page couverture: Rodolphe Conan
Photos intérieures: propriété de l'auteure
Composition et mise en pages: Photocomposition Trëma inc.
Promotion: Alain Des Ruisseaux
Impression: Imprimerie Gagné Ltée
Distribution: Québec-Livres,
une division de Groupe Quebecor
4435, boulevard des Grandes Prairies
Saint-Léonard, Qc H1R 3N4

Dépôt légal: Premier trimestre 1990
Bibliothèque nationale du Québec
Bibliothèque nationale du Canada

ISBN: 2-921207-11-7

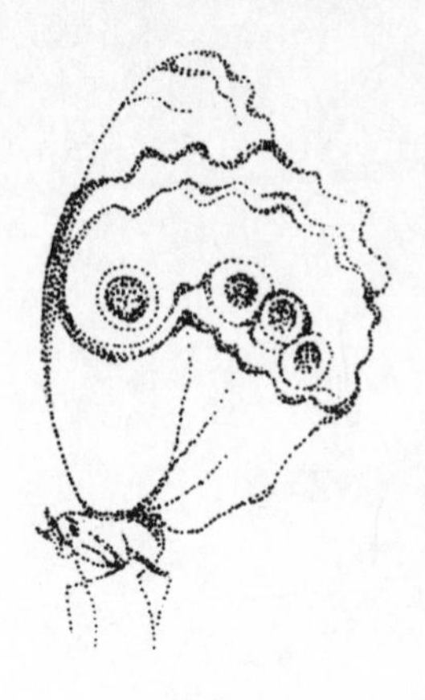

Je dédie ce livre à ma mère,
à ma nièce Viviane,
à ma soeur Lorraine,
sans l'aide de laquelle ce volume ne serait pas ce qu'il est,
ainsi qu'à tous ceux qui n'ont pas encore trouvé
le chemin de la joie, de la paix et de la sérénité.

Ce chemin existe...

REMERCIEMENTS

Écrire ce livre sur un sujet aussi délicat et personnel n'a pas été chose facile. J'ai été aidée, encouragée et appuyée par les personnes suivantes. À toutes, je dis merci du fond du coeur.

Michelle Beauvais, Sylvie Bergeron, Diane Borgia, Nathalie Campeau, le Capitaine Cosmos, Jean-Pierre Chiasson, Martha Crampton, Marie Desmarteaux, Marie Dumas, Richard Durand, Jacques Filteau, Michel Forget, Josette Fradette, Marcel Girardin, Richard Hofman, Thérèse Labrie, Francine Lapierre, La Société canadienne des Postes, Nicole Latourelle, Denis Monette, Pierre Nadeau, Lise Payette (ne pas confondre) Louise Tremblay, Claude Turcotte et mon guide intérieur.

Certaines personnes, pour des raisons évidentes, ont tenu à conserver l'anonymat. Merci à Jacques T., Sophie, Monique, les deux Francine, Claude, Jean-François, Michèle et Roy.

Ma soeur Lorraine me demande de remercier en son nom les personnes suivantes pour leur encouragement et leur amour:

Gilles Beauchemin, Lucie Bélinge, Joseph Bouvet, Yvon Boisclair, Rachelle Bonneau, Michel Brochu, Armand Desautels, Yvette Dorion, Lucie Douville, Adrien Dugas, Jeannette et Roland Guay, Christine Hamel, Lucille Hamel, La Fraternité sacerdotale Saint-Jean l'Évangéliste, Christiane Jolicoeur, Jules Lambert, Jeannette Lortie, Jeanne-d'Arc Marleau, Agathe Martineau, Paulette Mercier, mes tantes Gracia, Yvette et Jeanne-d'Arc, Maurice Thériault, Marcelle Thibodeau et Paul Wittes.

AVANT-PROPOS

En guise de présentation

La coutume veut que l'éditeur présente l'auteure. Dans le cas de Yolande Vigeant, j'ai décidé de passer outre aux usages établis, c'est-à-dire de présenter son curriculum vitae. Yolande étant d'abord et avant tout une femme de coeur, j'ai pensé que la lettre qui suit en dit plus sur elle que n'importe quel diplôme.

Pierre Nadeau
Éditeur

LES ASSOCIÉS BÉNÉVOLES QUALIFIÉS AU SERVICE DES JEUNES

Le jeudi 9 mars 1989

Madame Vigeant,

Au nom des ASSOCIÉS BÉNÉVOLES QUALIFIÉS AU SERVICE DES JEUNES, je désire vous remercier de nous avoir accordé quelques heures pour nous entretenir d'un problème trop souvent vécu par les enfants: «l'ENFANT SOUS LE JOUG DE L'ALCOOLISME.»

À partir d'une expérience vécue personnellement, vous nous avez fait le récit des affres que peuvent endurer les enfants vivant sous un toit où l'alcoolisme existe, et de séquelles qu'elles peuvent entraîner. Votre témoignage nous a émus au plus haut point. D'ailleurs, les commentaires reçus attestent bien de la qualité et de la pertinence du message que vous nous avez livré.

Plusieurs de nos auxiliaires bénévoles oeuvrent dans des institutions où ce problème existe sûrement, où ce problème est probablement la cause de certains échecs scolaires, voire même de certaines délinquances. L'énumération que vous avez faite des symptômes caractérisant le syndrome: isolement, mutisme, dérobade devant les questions, fragilité physique ou psychologique, sous-alimentation, retard d'apprentissage, insuccès scolaires, etc., a grandement retenu l'attention de l'auditoire et, plus particulièrement, par les personnes engagées auprès des enfants les plus vulnérables. Vous les avez vraiment sensibilisés à l'identification de ce problème, de cette réalité. Vous nous avez fait faire un pas en avant. Notre action ne pourra être que plus bénéfique, les enfants mieux compris et mieux entourés pour leur plus grand bien.

Agréez, Madame Vigeant, l'expression de notre reconnaissance, et soyez assurée de nos sentiments les meilleurs.

Jeannette Fradette

Jeannette Fradette
332-2801

Préface

Lorsque Yolande m'a demandé d'écrire la préface de ce livre, j'ai immédiatement accepté. Il faut dire que je n'ai eu aucune difficulté à m'identifier au saisissant portrait qu'elle trace d'une triste réalité sociale: les enfants qui manquent d'amour. Mon père était alcoolique, sa maladie a brisé notre famille. Ma mère a été obligée de travailler comme une esclave toute sa vie pour assurer notre survivance et j'ai été envoyé à Boscoville. Mon séjour là-bas m'a permis de comprendre les jeunes qui souffrent de ce que Yolande appelle si justement «la fracture de l'âme».

Au printemps 1988, j'ai coproduit et joué dans *Certains hommes ont besoin d'aide.* Cette pièce, qui traite de l'alcoolisme, a été présentée au théâtre de la Licorne ainsi que dans tout le Québec et m'a amené a effectuer de longues recherches sur ce thème. Il y a énormément de documentation sur cette maladie, mais je n'ai rien trouvé sur ses conséquences dans le milieu familial.

L'approche de Yolande, plus moderne, traite enfin de ce sujet en profondeur, allant à la source même du problème. Je pense que le principal mérite de cette étude est de déculpabiliser en replaçant les choses dans leur juste perspective. Cet ouvrage va au-delà de la psychologie traditionnelle; il établit un lien entre la psychanalyse et la réalité.

Ce que j'ai le plus apprécié cependant, c'est le fait que l'auteure nous donne l'occasion de faire un examen de conscience collectif sur un problème trop souvent ignoré. Réflexion faite, sa pensée et la mienne se rejoignent. Son livre aurait aussi bien pu s'intituler *Certains enfants ont besoin d'aide.*

Michel Forget

INTRODUCTION

Je suis fille d'un père alcoolique. Celui-ci est décédé à l'âge de soixante-deux ans, emporté par sa maladie. J'éprouve beaucoup de compassion pour ceux et celles qui subissent ou ont subi des traumatismes semblables aux miens et espère, par cette modeste contribution, aider des familles entières. Ce livre s'adresse d'abord et avant tout à vous, les enfants d'alcooliques aux prises avec une souffrance trop lourde pour être portée seule. En second lieu, je souhaite qu'il rejoigne les parents, conjoints, amis, employeurs... afin qu'ils comprennent et sachent comment agir face à un mal aussi destructeur.

Je désire aussi conscientiser les professionnels de la santé et toutes les personnes qui oeuvrent en relation d'aide. Le phénomène connu aux États-Unis sous le terme de A.C.O.A. Syndrome (*The Adult Children of Alcoholic Syndrome*)* est à peine étudié au Québec. Pour les fins de ce livre, l'expression américaine a été traduite par A.N.P.A. (Adultes Nés de Parents Alcooliques)**, mais je précise qu'il y a lieu d'en élargir la définition pour inclure également les enfants issus de familles dites dysfonctionnelles. Les parents absents, mères dépressives, pères violents ou incestueux peuvent eux aussi produire ce que j'appelle des handicapés affectifs.

Pourquoi me suis-je intéressée au mouvement des A.C.O.A. dont font partie plus de cinq millions d'Américains? En 1986, j'étais relationniste dans un important centre de traitement pour alcooliques et toxicomanes. On m'avait déléguée à la Southeastern Conference on Alcohol and Drug Abuse à Atlanta, en Georgie. Figée d'émotion, j'ai entendu Claudia Black*** nous expliquer le syndrome des A.C.O.A. et la façon de s'en sortir par des thérapies spécifiques aux enfants adultes d'alcooliques.

Un peu plus tard, je participais au North American Congress on Employee Assistance Programs à Toronto. Nul autre que Robert J. Ackerman**** y faisait un brillant exposé, précisant qu'il était luimême un A.C.O.A. (son père l'autorisait à en parler dans le but d'aider quelqu'un.) J'ai dû retenir mes larmes lorsqu'il a dit: «Sachez que vous n'êtes plus seuls.»

---

* Le syndrome des enfants adultes d'alcooliques.

** Expression utilisée par la Clinique de réadaptation de alcooliques de la région des Prairies à Winnipeg.

*** PhD, MSW, une des pionnières du mouvement A.C.O.A. aux U.S.A., auteure de plusieurs livres dont *It Will Never Happen To Me*, publié par M.A.C.

**** Une autorité du mouvement A.C.O.A., auteur du livre *Growing In The Shadow*, Health Communications, Inc.

Avidement, je me suis précipitée sur l'abondante littérature américaine sur le sujet. Pendant des jours et des semaines, je me suis documentée à fond. Cela peut sembler un travail d'arrache-pied, mais ce fut une délectation; enfin, quelqu'un, quelque part, comprend quelque chose à mon cas!

J'ai toujours été frustrée de constater que les spécialistes essaient de nous soigner comme des malades mentaux. Ils ne tiennent pas compte de la dynamique fondamentale du syndrome d'adultes nés de parents alcooliques. Pour eux, nous ne sommes que des névrosés, drogués, dépendants affectifs, *gamblers*, déviés sexuels, psychotiques, dépressifs, alcooliques, pharmaco-dépendants, anorexiques, boulimiques, délinquants, compulsifs ou obsessionnels. Mais nous ne sommes pas nés ainsi! Ces symptômes sont le résultat de pensées et de comportements appris. Autrement dit, on peut agir en fou ou en folle sans l'être. Et laissez-moi vous dire que c'est très douloureux!

Je pense que les professionnels de la santé mentale devraient amorcer une réflexion sur le sort horrible réservé à une personne née parfaitement saine d'esprit et qui se fait élever dans ce que j'appelle un asile. Combien d'entre nous font l'objet d'un mauvais diagnostic, sont internés ou incarcérés alors qu'une thérapie appropriée aurait pu éviter toutes ces souffrances?

Quel est le principal problème d'un adulte né de parents alcooliques? Les publications spécialisées comparent ce syndrome aux réactions observées chez les enfants victimes de bombardements ou élevés dans des camps de concentration. C'est dire jusqu'à quel point le traumatisme, ou plutôt la série de traumatismes, a pu être violent. Les blessures émotionnelles sont profondes: il y a «fracture de l'âme».

Je comprends pourquoi tellement d'alcooliques ou de toxicomanes en voie de rétablissement rechutent avec une régularité désespérante: la plupart sont issus de familles d'alcooliques. Même s'ils ont des périodes d'abstinence (sous-entendu ne *sniffent* pas, ne se «gèlent» pas aux Ativan, ne se «crinquent» pas), ils n'arrivent pas à trouver l'équilibre émotionnel qui ouvre la porte du bonheur et de la sérénité.

Il ne s'agit pas de s'apitoyer éternellement sur son sort, mais bien de reconnaître le problème. Il existe encore une forme de déni familial et social que je dénonce. Il est temps que le mur de la honte tombe, que collectivement nous prenions nos responsabilités face à un fléau qui sous-tend la majorité de nos problèmes sociaux.

Comment se fait-il qu'il existe aux États-Unis une structure si bien établie pour aider les A.C.O.A.? On y trouve toute la gamme des outils spécialisés dans le domaine: livres, revues, journaux par centaines, vidéos, cassettes, émissions de télévision, conférences nationales, milliers de centres de formation ou de traitement (interne, externe, individuel ou en groupe). Ça foisonne!

Au Québec, j'ai fouillé et n'ai presque rien trouvé*. À ma connaissance, ce livre constitue une première. Je vais tenter d'y décrire avec le plus de fidélité possible le profil psychologique d'un enfant né de parents alcooliques.

Je désire également réveiller les conjoints d'alcooliques actifs sur la lourde responsabilité qu'ils assument en maintenant leurs enfants dans pareil milieu. Je ne veux pas les critiquer ni les condamner, mais je souhaite qu'en lisant ceci, ils amorcent une saine réflexion, cherchent de l'aide et voient s'il n'y aurait pas d'autres choix.

En terminant, je veux apporter espoir et réconfort aux A.N.P.A. Vous savez peut-être qu'il y a des groupes d'entraide pour les alcooliques (A.A.), leurs conjoints (Al Anon) et les adolescents (Alateen). Il ne manquait qu'une chose: un mouvement spécifique aux adultes nés de parents alcooliques.

Je suis heureuse de vous annoncer qu'il existe enfin: E.A.D.A. (Enfants Adultes d'Alcooliques).

Non, nous n'avons pas à être victimes de notre enfance toute notre vie. Malgré toutes les apparences, nous avons encore des aptitudes au bonheur. Comment aurions-nous pu survivre autrement dans l'isolement, la misère matérielle ou morale, avec les mauvais traitements ou les abandons?

Il est possible de faire mieux que survivre; nous pouvons VIVRE, AIMER et JOUIR de la Vie.

---

* Il y a pourtant 2,8 millions d'A.N.P.A. au Canada.

Chapitre I

L'ALCOOLISME: UN MAL FAMILIAL

> ***Sous la couche épaisse de nos actes,***
> ***notre âme d'enfant demeure inchangée;***
> ***l'âme échappe au temps.***
>
> *François Mauriac*

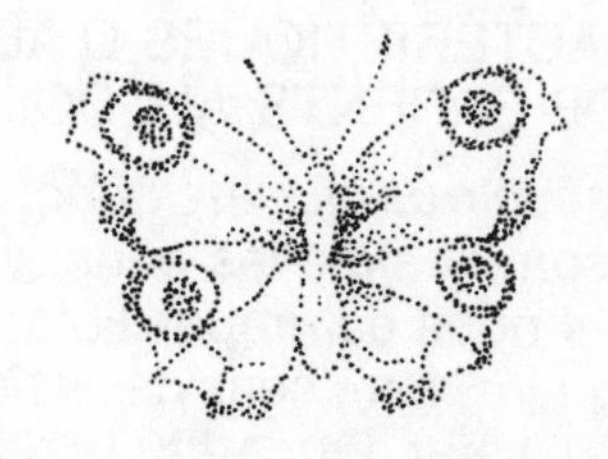

PROFIL DE L'ADULTE NÉ DE PARENTS ALCOOLIQUES

Examinons ce qu'est la vie d'un adulte né de parents alcooliques. Supposons-le dans la quarantaine, divorcé, intelligent, travaillant comme assistant comptable dans une grande entreprise. Appelons-le Maurice. Il boit modérément, ne consomme aucune drogue, mais est en proie à des peurs terribles, fait de l'anxiété et glisse facilement dans la dépression. Ayant déjà connu deux *burnout*, sa vie professionnelle ne le satisfait pas et il est absolument incapable d'avoir des relations affectives épanouissantes.

Maurice se retrouve chez le psychiatre pour exprimer ses frustrations et demander de l'aide. Comme ce dernier ne connaît pas les E.A.D.A., il lui prescrit des tranquillisants ou des antidépresseurs qui camouflent bêtement les symptômes. Maurice réalise, après quelques semaines, le tort que lui font les médicaments. Il essaie de s'en défaire mais l'habitude est déjà prise. Sitôt qu'il tente d'arrêter, c'est l'enfer. Il est devenu pharmaco-dépendant et, comme il boit de plus en plus, son cas se complique à cause du phénomène de tolérance croisée*.

Il serait bon pour Maurice de s'arrêter un moment pour savoir... qui il est. S'il peut s'identifier au portrait classique de l'adulte né de parents alcooliques, il éprouvera sans doute les mêmes réactions que moi. En un premier temps, c'est «la claque»: déception, humiliation, découragement. Puis vient un profond soulagement dû au fait de se reconnaître et se comprendre. Finalement, arrive l'acceptation de la réalité qui permet de passer à l'action et de changer.

CARACTÉRISTIQUES D'ADULTES NÉS DE PARENTS ALCOOLIQUES**

a) *Incapacité de savoir ce qui est adéquat ou pas*
Puisque nous sommes élevés dans un foyer où la folie est monnaie courante, il nous est impossible, en bas âge, de distinguer l'ivraie du bon grain. Notre sens des valeurs est faussé, nous vivons dans un perpétuel état d'incertitude doutant de notre jugement et de notre bonne perception des choses.

---

* Il s'agit d'une accoutumance aux médicaments psychotropes combinés à l'alcool. Le mélange de ces deux produits double ou triple les effets.
Exemple: 10 onces de cognac + valium = 20 onces de cognac.
20 mg de valium + cognac = 60 mg de valium.
Dans le cas d'autres médicaments, les effets sont souvent pires et la confusion mentale s'ensuit.

** Inspiré des mouvements E.A.D.A., de Montréal, d'A.N.P.A., de Winnipeg, et surtout de mon expérience personnelle.

b) *Incapacité de se détendre et de s'amuser*

Pour nous, enfants d'alcooliques, Noël et Pâques ou les anniversaires signifient trop souvent beuveries, affronts publics, chicanes ou batailles. Les pique-niques, sorties de fin de semaine, voyages sont inexistants ou invariablement gâchés. S'amuser? Ça veut dire quoi! Même pendant les heures réservées au sommeil ou au repos, plusieurs d'entre nous doivent rester aux aguets.

c) *Perfectionnisme*

À la poursuite de l'amour inconditionnel, nous avons fait l'impossible pour obtenir un peu de tendresse, allant même jusqu'à exiger de nous la perfection. Devenus adultes, nous continuons de nous juger sans indulgence et visons des idéaux irréalisables.

d) *Incapacité de mener des projets à long terme*

Ce comportement est dû au fait que nous étions tellement occupés à vivre dans l'imprévisible que nous avons été inhibés dans notre volonté de réaliser des activités de longue haleine. Nous recherchons la gratification immédiate.

e) *Habitude de mentir*

Dans une famille d'alcooliques, on dissimule beaucoup par honte, besoin d'évasion ou pour éviter les ennuis. Le mensonge, l'omission, la fabulation et la mythomanie deviennent des mécanismes de survie. Cela nous a souvent tirés d'embarras mais, une fois que le mauvais pli est pris, nous continuons de maquiller la réalité sans raison.

f) *Culpabilité*

Nous avons pris sur nos frêles épaules la responsabilité de régler le problème familial et nous nous sommes sentis coupables d'avoir échoué. Nous avons également été victimes du parent alcoolique qui nous a dit: «Si tu n'étais pas si paresseux (voleur, menteur...), je ne boirais pas tant.»

g) *Incapacité d'avoir des relations affectives satisfaisantes*

Nous nous sommes souvent fait rabrouer quand nous avons essayé d'exprimer nos besoins ou nos émotions. Maintenant, fermés comme des huîtres, nous demandons aux autres de compenser pour ce qui nous a manqué à la maison: nous sommes des dépendants affectifs. Pour nous, divorces et séparations sont monnaie courante. Certains voltigent alors d'une relation à l'autre ou deviennent ermites.

h) *Obsession du contrôle*
Le père est obsédé par le désir de contrôler son alcool, la mère est obsédée par le désir de contrôler... le père (ou vice versa). Ni l'un ni l'autre n'y parvenant, nous souffrons d'insécurité profonde et, pour nous rassurer, nous sommes obsédés à notre tour par le besoin de tout contrôler. Il en résulte une grande rigidité face à la vie et une résistance au changement, qu'il soit bon ou mauvais.

i) *Sentiment de solitude extrême*
Nous nous sommes toujours sentis à part des autres, des «pas pareils», des anormaux et, effectivement, ce qui se passait chez nous n'était pas normal. Nous manquons d'appartenance, nous coupons la communication ou nous nous isolons.

j) *Extrémisme*
La subtilité et le sens des nuances n'ont pas leur place dans un foyer marqué par l'alcool où les choses qui devaient être minimisées sont amplifiées et vice versa. Maintenant, c'est le tout ou rien. Il n'y a pas de demi-mesures, de zones grises, c'est blanc ou noir, bon ou méchant, ciel ou enfer!

k) *Sens faussé des responsabilités*
Nos parents dépendant l'un de l'autre, de façon maladive, ne nous ont jamais donné l'exemple d'adultes capables d'assumer leurs responsabilités. Nous pouvons aller jusqu'au sacrifice total ou être complètement inconséquents. Mais le juste milieu?

l) *Dramatisation*
À force de vivre dans un foyer en état de crise (plus ou moins apparente selon les cas), nous recherchons à notre insu à recréer ces situations. Nous sommes très doués pour nous mettre dans le pétrin et vivons d'un drame à l'autre. Ce faisant, nous évitons de faire face à nos problèmes réels et de les régler.

m) *Estime de soi déficiente*
Lorsque nous étions jeunes, nous avons développé une personnalité conditionnée par le regard de nos parents; ceux-ci étaient absents ou menaçants. Nous nous percevons comme minables, nous anticipons l'échec alors que le succès nous fait encore plus peur. Nous sabotons inconsciemment nos projets et ruinons le résultat de nos propres efforts. Finalement, nous nous rejetons nous-mêmes.

n) *Interprétation de la pensée des autres*
Nous sommes marqués par la perception (vraie ou fausse) d'avoir été rejetés par nos parents. Nous avons tellement peur de revivre

ce choc que nous nous créons une système d'interprétation pour traduire, à notre désavantage, la pensée des autres (paranoïa). Ensuite, nous les délaissons par prévention.

o) *États obsessionnels*
Chagrins non exprimés et agressivité refoulée ont pris le visage d'une peur viscérale qui nous tient encore prisonniers. Comme soupapes, nous développons diverses phobies, nous posons des gestes bizarres, compulsifs ou autodestructeurs.

p) *Impossibilité de faire confiance*
Dans nos foyers chaotiques, les enfants vulnérables que nous étions ne pouvaient s'appuyer sur leurs parents pour être rassurés, protégés ou encadrés. D'une promesse brisée à l'autre, nous en sommes venus à ne plus croire en personne.

q) *Besoin exagéré d'approbation (quêteux d'amour)*
Nos parents, ignorant leur propre valeur humaine, ne pouvaient nous aider à bâtir la confiance en nous-mêmes. N'ayant aucune notion de notre propre identité, terrifiés par la peur du rejet, nous cherchons désespérément l'encouragement des autres. Nous nous créons alors un personnage acceptable, portons des masques dont nous devenons, tôt ou tard, les esclaves.

r) *Amnésie*
Il arrive que des chocs émotifs (ou physiques) aient été tellement traumatisants que nous avons effacé de notre mémoire certaines scènes trop atroces. Des périodes entières de notre enfance peuvent alors nous échapper.

s) *À la recherche de notre enfance*
Nous sentions une interdiction d'exprimer notre désespoir en présence de nos parents. Traînant, sans savoir pourquoi, un fond de tristesse omniprésente, nous pleurons trop (quand ce n'est pas le moment) ou pas assez (quand ce serait le temps). Nous sommes véritablement en deuil de notre enfance.

Histoire de vérifier le bien-fondé de ces caractéristiques, j'ai demandé à Maurice de nous expliquer comment le fait d'être un A.N.P.A. a affecté sa vie professionnelle. «Aux yeux de mes patrons, je passe pour un excellent employé, me dit-il. Avec ma peur d'être rejeté, je n'ose jamais contester l'autorité, demander une augmentation de salaire ni prendre une pause-café. Un stress perpétuel et mon sens exagéré des responsabilités me permettent de fonctionner à pleine vapeur dans les situations de crise. Comme je me sens en sécurité dans ce travail sans défi, je ne prends aucune initiative et n'obtiens pas d'avancement. Ça fait mon affaire puisque je me sens à l'abri dans mon petit bureau où je peux garder mes distances et sauvegarder mon isolement. Ensuite, j'accumule de la rancune contre mes patrons qui m'ignorent, ne m'apprécient pas à ma juste valeur et donnent la promotion à un collègue moins compétent. Incapable d'exprimer mon désaccord sans exploser, je me tais. Mais je paie cher mon inertie; ne pouvant libérer ma créativité, je meurs littéralement d'ennui.»

Pas étonnant que Maurice ait fait deux *burnout* et soit obligé aujourd'hui d'utiliser Ativan et Scotch comme carburant.

Ces portraits-robots d'adultes nés de parents alcooliques ne doivent pas être pris au pied de la lettre. Nous pouvons avoir un, deux ou plusieurs des traits mentionnés, mais peu de gens les auront tous, à de rares exceptions près. Pour ma part, j'avoue que je ne suis pas loin du compte.

Vous vous posez sans doute la question: «Suis-je un handicapé affectif?» Le tableau suivant pourra vous éclairer.

1) Avez-vous l'impression d'être seul au monde?

2) Craignez-vous l'autorité?
Est-ce que les gens qui vous critiquent ou se mettent en colère vous font peur?

3) Dans vos relations affectives ou d'affaires, avez-vous souvent l'impression d'être une victime?

4) Avez-vous un sens exagéré des responsabilités au point, par exemple, que les besoins des autres passent avant les vôtres?

5) Vous est-il difficile, pour ne pas dire impossible, de reconnaître vos défauts et limites?

6) Êtes-vous capable de prendre votre place et défendre vos droits?

7) Vous sentez-vous perpétuellement coupable?

8) Êtes-vous un *junkie* des sensations fortes?

9) Confondez-vous pitié et amour, choisissant instinctivement des partenaires faibles et dépendants?

10) Êtes-vous incapable d'exprimer vos émotions, même les bonnes?

11) Vous jugez-vous trop sévèrement?

12) Avez-vous une piètre estime de vous-même?

13) Avez-vous tendance à réagir plutôt qu'à agir?

14) Paniquez-vous si vous avez l'impression d'être abandonné lors d'une relation affective?

15) Faites-vous confiance à n'importe qui?

Si je voulais résumer, je dirais: nous sommes incapables d'être heureux. Et puis non, je me ravise. Nous avons hérité, comme chaque être humain, de la capacité et même du droit au bonheur. Le seul hic, c'est qu'on nous a donné le mauvais «mode d'emploi de la vie». Dès la naissance, nous sommes émotivement en osmose avec nos parents. Nous captons, sans même que les choses soient dites, la peur, l'angoisse, la haine, la culpabilité. Si on superpose à ces messages non verbaux les mauvais traitements, les abus sexuels, les violences physiques ou verbales, les privations matérielles, les négligences ou simplement le fait d'avoir été ignoré, nous obtenons un individu parfaitement programmé pour la souffrance.

Il est important de nous rendre compte que, au départ, nos déviations de pensées ou de comportement ne sont pas des choix conscients. Donc, inutile de s'accabler. Inutile surtout d'accabler nos parents, eux-mêmes victimes du même système. Faire un simple constat de la réalité et l'accepter sans condamner, ne pas se décourager en croyant qu'il est possible de se reprogrammer, ceci ouvre la voie à la libération.

CE N'EST PAS SEULEMENT PSYCHOLOGIQUE

Les enfants d'alcooliques qui lisent ces lignes s'inquiètent peut-être des risques qu'ils ont de devenir eux-mêmes alcooliques. À leur intention, j'ai fait des recherches sur le sujet*. Il en ressort que des facteurs strictement physiques (facteurs génétiques, débalancements biochimiques) ont un grand rôle à jouer dans le développement de la maladie.

---

* Les informations scientifiques sont tirées du livre: *Children of Alcoholism, A Survivor's Manual*, Judith S. Seixas and Geraldine Youcha, Harper and Row Publishers, 1985.

Le docteur Donald Goodwin de l'École médicale de l'Université du Kansas est un éminent spécialiste en hérédité. Il a réussi à prouver que les fils d'alcooliques ont quatre fois plus de chances d'être atteints que les fils de non-alcooliques. Toutefois, chez les filles, les résultats sont moins concluants. Son étude a porté sur des garçons séparés de leurs parents buveurs alors qu'ils étaient en très bas âge. Ils ont été élevés dans des foyers harmonieux, exempts d'alcool, drogue, maladie mentale ou toxicomanie. Pourtant, ils sont devenus alcooliques. Par contre, des garçons nés de parents non-alcooliques et placés dans des familles où l'on s'enivrait régulièrement, n'ont pas développé cette accoutumance.

L'importance des facteurs génétiques a également été démontrée par de remarquables travaux effectués presque simultanément en Finlande et aux États-Unis. On a utilisé deux groupes de jumeaux: les univitellins (un oeuf fragmenté en deux) et les bivitellins (deux oeufs différents). Le taux d'alcooliques est beaucoup plus élevé chez les jumeaux univitellins, sûrement parce qu'ils sont marqués par les mêmes facteurs génétiques. Chez les bivitellins, le taux d'alcoolisme est beaucoup plus bas.

Selon le docteur Maurice Dongier, directeur de la recherche en alcoolisme à l'Hôpital Douglas de Montréal, la prédisposition à l'alcoolisme existe réellement et il est prouvé que certaines personnes sont plus susceptibles que d'autres d'en être atteintes. Ainsi, je suis alcoolique comme mon père, mais ma soeur (dont vous ferez la connaissance aux chapitres VII et VIII) ne l'est pas. On a vu des enfants d'alcooliques s'en tirer indemnes psychologiquement (c'est très rare), mais leurs enfants, même si les parents ne buvaient pas, sont devenus alcooliques. La maladie a sauté une génération. Ce phénomène est courant en génétique: deux parents aux yeux noirs auront, par exemple, un enfant aux yeux bleus et on y reconnaîtra facilement le regard du grand-père.

Que les parents alcooliques n'aillent surtout pas se culpabiliser: vous n'êtes tout de même pas responsables de vos chromosomes! Dites-vous que vos enfants n'héritent pas seulement de vos faiblesses mais aussi de vos qualités.

Pour en revenir à la recherche, on a fait de nombreuses découvertes au niveau des débalancements biochimiques:

■ À Harvard, les scientifiques de l'École médicale rapportent avoir trouvé un produit peu connu dans le sang de certains alcooliques chroniques: le butanédial. Cette substance ne se rencontre jamais dans le sang de personnes non alcooliques, même après qu'elles se soient enivrées.

■ Le docteur Marc Schuckit, de l'École médicale de San Diego, a découvert que le taux d'acétaldéhyde est plus élevé dans le sang des alcooliques et de leurs enfants (avant même qu'ils n'aient bu) que dans celui de la population en général.

■ À New York, on a découvert quelque chose de fort intéressant: en utilisant un équipement ultra-sophistiqué pour mesurer les ondes du cerveau, on a constaté que, chez les alcooliques et leurs enfants, il existe une courbe particulière qui ne se retrouve pas dans la population en général. Cette courbe, connue sous le nom de P3, indiquerait qu'il y a aberration électrique quelque part dans la matière grise.

■ Madame Lynne Hennecke, psychologue newyorkaise, a étudié avec soin une trentaine d'A.N.P.A. devenus eux-mêmes alcooliques. Ceux-ci souffriraient d'une hypersensibilité du système nerveux qui amplifie tout: émotions, douleurs, bruits, lumières... L'alcool serait alors perçu comme un bon outil pour feutrer la densité ou l'intensité des sensations ressenties.

À l'intention de ceux qui aimeraient appronfondir leurs connaissances sur l'alcoolisme, en particulier sur l'état actuel de la recherche scientifique dans ce domaine, vous trouverez, en annexe I, une communication de madame Marie Dumas, M.Sc., conseillère en alcoolisme et toxicomanie, à Santra Inc. (SANTÉ/TRAVAIL), LAVALIN SANTÉ.

QUI SONT LES SUJETS À RISQUE ÉLEVÉ?

Le National Council on Alcoholism des États-Unis a publié une liste des facteurs indiquant si une personne est prédisposée à l'alcoolisme. Le fait de répondre à un ou à plusieurs de ces critères ne signifie pas que vous deviendrez obligatoirement alcoolique ou toxicomane. Par contre, il n'est pas mauvais de se rendre compte qu'on est sujet à risque élevé; ainsi, on peut surveiller les effets de sa consommation, la réduire ou l'arrêter si c'est indiqué. Les facteurs suivants ne sont pas cités par ordre d'importance.

1) Antécédents familiaux: alcoolisme chez les parents, frères, soeurs, oncles, tantes, grands-parents.

2) Abstinence totale: tout comportement extrême peut servir de déclencheur et il y a danger dans les familles où on ne consomme aucune boisson*.

3) Climat familial: parents divorcés ou séparés, violence physique ou verbale, abus, négligence, absence des parents, histoire d'alcoolisme ou de toxicomanie.

4) Nationalité: dans certains pays, le fait de surconsommer est considéré comme normal. Ceci est évidemment dangereux. Ainsi, on considère qu'un Irlandais a plus de chances de devenir alcoolique qu'un juif. Notons que les Québécois sont considérés comme de solides buveurs.

5) Rang familial: le dernier né de la famille est sujet à risque élevé.

6) Dépression: dans les familles où il y a eu des cas de dépression sur plus d'une génération, les hommes deviennent généralement alcooliques et les femmes pharmaco-dépendantes.

7) La cigarette: on retrouve souvent des alcooliques dans les familles où on fume beaucoup. (Éviter le tabagisme n'est pas nécessairement une protection efficace contre l'alcoolisme!)

Pour résumer , je laisse la parole à Michèle Beauvais, intervenante auprès des E.A.D.A. «On estime à 50% les enfants d'alcooliques qui vont développer un problème d'alcoolisme ou de toxicomanie et à plus de 40% ceux qui vont se marier à quelqu'un qui a ou qui va développer un problème d'alcoolisme**.»

POUR LES PARENTS

Sachant que vos enfants sont prédisposés à l'alcoolisme, vous voulez leur éviter de développer la maladie. Comment agir?

Il est utopique de croire que c'est vous qui pouvez les sauver, vous ne pouvez tout de même pas endosser leurs choix futurs. Par contre,

* Ainsi, dans la famille de mon père, il était strictement interdit de consommer de l'alcool. Cela ne l'a pas empêché de commencer à boire à l'âge de trente-six ans (vocation tardive) et de devenir alcoolique.

** *L'INTERVENANT,* revue sur l'alcoolisme, la pharmacodépendance et la toxicomanie, vol. 5, no 3, page 14.

il en va de votre responsabilité de les mettre en garde sur les risques qu'ils encourent. Vous pouvez également faire disparaître des peurs imaginaires en les aidant à mieux comprendre la dynamique du problème.

SI VOUS BUVEZ ENCORE

■ Le pire est de vouloir nier l'évidence; de toute façon, les enfants voient clair. Dites les choses telles qu'elles sont. Le plus simplement possible, sans insister, avec honnêteté. Ceci permet de ventiler l'atmosphère et sécurise plus que vos cachotteries. «Non, ce n'est pas à cause de mon ampoule au pied que je marche comme ça, c'est parce que j'ai trop bu. Si j'ai des comportements bizarres, c'est parce que je suis allergique à l'alcool.»

■ Essayez de vous réserver des moments pour communiquer. Il y a sûrement des périodes où vous êtes à jeun. Sans soulever de nouveaux drames familiaux, mettez-vous à l'écoute de ce que vos enfants vivent. Ils auraient peut-être besoin de vous dire: «Papa, nous avons peur de toi...»

■ Si vous avez des adolescents, suggérez-leur de fréquenter Alateen ou une autre forme de thérapie. Ils pourraient ainsi apprendre à vivre avec vous et votre maladie et ils souffriraient moins de l'isolement.

■ Les très jeunes enfants commencent à boire en vidant les fonds de verres que vous ou les invités laissez traîner. Si un bambin est éméché, évitez de l'applaudir («il est donc *cute*») ou de le réprimander. Expliquez-lui calmement que l'alcool n'est pas pour les enfants. S'il y a des visiteurs, offrez-leur jus d'orange, boissons gazeuses, eau minérale. Assurez-vous aussi que ces produits ne manquent jamais dans le frigo afin de ne pas laisser les jeunes sous l'impression que l'alcool est le seul liquide potable dans la vie.

■ Ne mettez pas le focus sur les «délices de l'alcool» ou ses «merveilleux effets». Évitez de dire, par exemple: «Que c'est donc bon un bon cognac! Heureusement que j'ai ça pour me détendre.»

■ Ne valorisez pas la surconsommation d'alcool pour «faire un homme» de votre fils: «Ton oncle Charles, c'est quelqu'un; il peut caler deux caisses de bière dans le temps de le dire!»

■ Ne soyez pas exhibitionnistes des «exploits» que vous réalisez lorsque vous êtes ivre: «J'ai gagné la course en faisant du 150 km/h sur la rue principale!» Si vous êtes conjoint d'un alcoolique actif, vous pouvez vous dispenser de faire du conditionnement négatif: «Tu vas finir comme ton père», d'attirer le mépris: «Que ta mère manque donc de volonté» ou la haine: «C'est de la faute de ton père, qui a bu sa paye, si on ne part pas en fin de semaine.» Évitez la surprotection et délimitez les responsabilités de chacun. Ne demandez pas à vos enfants d'être vos parents: ils n'ont pas à payer les pots cassés, ni même à les ramasser. Laissez-les traîner et expliquez qu'il est bon que le responsable voit ce qu'il a fait quand il reviendra à lui. Si votre vie, la santé ou la sécurité de vos enfants sont gravement menacées, partez, quitte à revenir si le conjoint consent à se faire soigner.

SI VOUS AVEZ CESSÉ DE BOIRE

■ Travaillez sur vous plutôt que sur vos enfants. Ce n'est pas parce qu'on est abstinent d'alcool que tous les problèmes se règlent automatiquement. Si vous amorcez un processus de croissance personnelle, vous serez en mesure de fournir à vos enfants un modèle d'adulte auquel ils pourront se référer pour grandir.

■ N'essayez pas de compenser pour les années gâchées en gâtant les enfants. Ce qui est fait est fait. Il n'y a pas de rattrapage possible et la culpabilité cause à votre progéniture autant de dommages que votre éthylisme passé. Donnez-leur plutôt beaucoup de tendresse et d'amour. Vous pouvez manifester votre affection de plusieurs manières: caresses, attentions spéciales, etc. Vous pouvez aussi leur procurer un cadre de vie discipliné et ferme. Exemple: repas à heures régulières, consignes claires et faciles à suivre. Vos enfants, habitués à vivre dans la désorganisation apprécieront la sécurité du nouvel ordre établi.

■ Donnez-leur des responsabilités. Les enfants d'alcooliques se sentent plus dévalorisés que d'autres. Ils ont droit à leurs échecs et à leurs succès bien à eux. Si vous favorisez leur sens de l'initiative, ils pourront rebâtir leur confiance en eux-mêmes, s'affirmer et surtout prendre leur place dans la vie.

■ Écoutez ce qu'ils ont à dire. Laissez-les se vider le coeur, même si ce n'est pas toujours facile à accepter. Ils en ont besoin. L'essentiel, c'est qu'ils sentent que vous êtes disponible, ouvert, attentif et respectueux de ce qu'ils sont.

■ Vis-à-vis de l'alcool, il y a plusieurs gaffes que vous pouvez éviter. Ne vous transformez pas en moralisateur: «Ce n'est pas beau de boire.» Vous donnez le bon exemple, c'est suffisant. Ne parlez pas trop de votre maladie ou de votre rétablissement. C'est une manie assez ennuyeuse chez certains alcooliques devenus abstinents. On les entendra dire, par exemple: «Allons manger chez Paulo, il n'y a pas d'alcool là.» Vivez comme tout le monde... si vous en êtes capable! Ne paniquez pas si votre adolescent prend un verre de vin en mangeant ou même s'il prend une bonne cuite. Cela arrive à tout le monde! Laissez-le faire un party à la maison avec des amis. La surveillance tracassière ne vous donnera rien. Si vous n'êtes pas à l'aise dans le langage des jeunes, ne changez pas votre vocabulaire pour avoir l'air à la mode; vous pouvez dire: «J'étais ivre» plutôt que «J'étais gelé». Sans donner d'explications longues ou compliquées sur la maladie, vous pouvez aider vos enfants à développer une attitude saine envers l'alcool: «L'oncle Arthur ne conduit pas ce soir parce qu'il a trop bu.» Lorsqu'une réclame télévisée vante les mérites de la bière pour apporter succès et amour, dites que c'est faux. Mettez-les en garde contre les pressions de groupes qui les entraînent à la surconsommation d'alcool ou à l'usage de la drogue.

Plusieurs informations fausses circulent au sujet de l'alcool et un parent averti pourrait les démystifier:

a) Prendre un coup, ça réchauffe. L'alcool abaisse la température du corps, et boire à l'extérieur par temps froid est extrêmement dangereux. On peut sentir un effet de chaleur mais il sera temporaire.

b) L'alcool est un aphrodisiaque. Il n'en est rien! Boire peut momentanément enlever les inhibitions, mais est-ce une bonne chose de vivre sa sexualité grâce à des béquilles? À la longue, il y a atrophie des glandes sexuelles et la performance diminue au lieu d'augmenter.

c) L'alcool aide les réflexes. Faux. Cette fable est extrêmement dangereuse pour les personnes au volant. La vision, le jugement et les réactions sont amoindris dès le premier verre. Il n'y a pas d'exception.

d) On ne peut mourir d'une «overdose» d'alcool. Vous devriez voir les jeunes qui échouent à l'urgence pour se faire pomper l'estomac! L'alcool, pris rapidement et en trop grande quantité, est un dépresseur du système nerveux central. Ceci peut provoquer des lésions neurologiques tellement graves que le coeur peut cesser de battre et le cerveau de fonctionner. On a constaté qu'il y a plus de décès causés par l'alcool que par l'héroïne chez les jeunes.

e) La bière et le vin, c'est moins dangereux que le «fort». Faux! Une canette de 12 onces de bière, un verre de 5 onces de vin ou une *shot* d'une once et demie de whisky *80% proof* contiennent tous la même quantité d'alcool. Autrement dit, si vous buvez beaucoup de bière, vous buvez beaucoup d'alcool.

f) Je vais me dessaouler en prenant un café fort ou une douche froide. Certaines personnes sont perpétuellement à la recherche de moyens miracles pour boire sans s'enivrer ou contrer les effets de l'alcool. Une bonne tasse de café ou une douche froide vont faire de vous un alcoolique très réveillé ou très mouillé, mais toujours saoul.

g) Il est possible pour un alcoolique de boire socialement. Ce mythe est le plus dangereux de tous et plusieurs adeptes de cette théorie se retrouvent en psychiatrie ou sont morts de leur éthylisme.

Voilà pour l'alcool. Je ne désire pas m'étendre sur le sujet plus longuement, l'ayant déjà fait dans mon premier livre*. Si ces quelques lignes peuvent empêcher des adultes, nés de parents alcooliques ne serait-ce qu'un seul, de se jeter dans la gueule du loup, ce travail n'aura pas été vain.

---

* *Nous, les alcooliques*, Éditions Le Manuscrit, 1985.

Chapitre II

PORTRAIT DE FAMILLE

Vous pouvez vous libérer de
votre passé en l'aimant.

Sanaya Roman

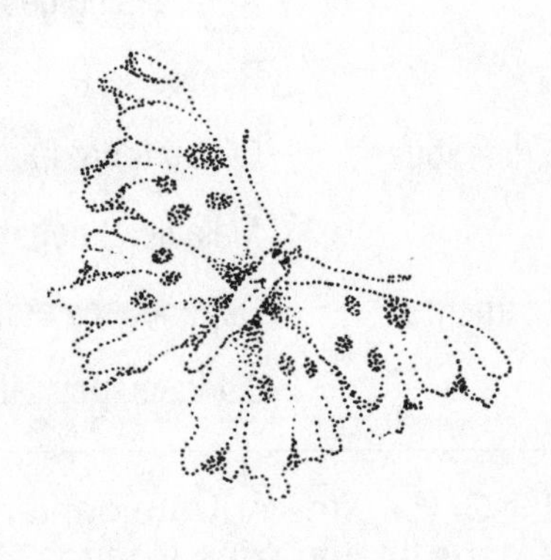

LA FAMILLE DYSFONCTIONNELLE

Il s'agit d'une famille déficiente sur le plan affectif. Elle n'arrive pas à remplir sa fonction première: procurer à ses membres un milieu sain et propice à leur plein épanouissement. Ceux-ci doivent se débrouiller comme ils peuvent pour assurer leur survivance dans des conditions déplorables. Dans cette famille règnent les contre-vérités, l'instabilité et les comportements anormaux. La plupart du temps, un ou plusieurs de ses membres sont aux prises avec un problème d'alcool ou de dépendance à une substance chimique.

Certains critères régissent ces familles dans lesquelles nous avons grandi. Examinons-les donc et notons comment nous avons acquis un sens des valeurs différent de celui du commun des mortels*.

FAMILLE FONCTIONNELLE	FAMILLE DYSFONCTIONNELLE
Dialogue	Peu ou pas de communication
Sentiments et besoins exprimés	Tout est refoulé et caché
Règles claires et nettes	Attentes secrètes
Respect des individus	Manque de considération
Liberté respectée	Manipulation et contrôle
Ouverture d'esprit	Attitudes rigides
Créativité encouragée	Répression
Atmosphère joyeuse et détendue	Climat lourd et stressant
Santé et optimisme	Maladie et négativisme
Autonomie et épanouissement	Dépendance et frustrations
Amour et confiance	Jalousie, peur et soupçons

Sharon Wegscheider-Cruse, une autre pionnière du mouvement des A.C.O.A., a publié dans le magazine *Change*** une liste de propos fréquemment entendus dans les foyers alcooliques ou ces doubles messages sont à l'origine de nos conflits d'instinct. J'en cite quelques-uns accompagnés de leur signification réelle.

---

* Tableau inspiré de E.A.D.A., A.N.P.A. et de mes expériences personnelles.

** Magazine américain spécialisé pour les A.C.O.A.

- «On ne lave pas son linge sale en public.»
  — Ne fais confiance à personne, ne demande aucune aide.

- «Ne parle pas si tu n'as rien de gentil à dire.»
  — Cache tes véritables sentiments.

- «Le travail, ça passe avant le plaisir.»
  — Ce que tu fais est plus important que ce que tu es.

- «Un homme, ça ne pleure pas.»
  — Les hommes doivent toujours être forts.

- «Les femmes doivent être douces et féminines.»
  — Les femmes n'ont pas le droit de vivre leur agressivité.

- «Ne donne pas ton opinion quand on ne te la demande pas.»
  — C'est inacceptable d'être spontané.

- «Ne parle jamais de sexe.»
  — Ignore ton corps.

- «Tu as fait ton lit: maintenant, couche dedans.»
  — Tu n'as pas le droit de faire des erreurs.

- «Ce qui mérite d'être fait mérite d'être bien fait.»
  — Il faut être parfait en tout.

- «Tu sais bien que tu aurais pu faire mieux!»
  — Ce que tu fais n'est jamais assez bon.

- «Je te l'avais pourtant dit!»
  — Tu as tort et j'ai toujours raison.

- «La réputation de la famille passe d'abord et avant tout.»
  — Surtout ne dévoile rien de ce qui se passe ici.

- «Qu'est-ce que les autres vont dire?»
  — Il faut absolument vivre en fonction de ce que les autres pensent.

De manière concrète, nous constatons que les parents sont névrotiques et dépendants l'un de l'autre. Ils peuvent être inconsistants, possessifs, culpabilisants, imprévisibles, arbitraires ou simplement absents. Leurs comportements immatures portent les enfants à «jouer au père et à la mère» avec eux.

Généralement, les parents de familles dysfonctionnelles transmettent aux enfants des valeurs contradictoires qui les embrouillent. Par exemple, ce qui est vrai une journée ne l'est plus le lendemain. Si l'un des parents est alcoolique, il peut être, à jeun, la personne la plus merveilleuse dans le monde mais, avec quelques verres, il se transformera en brute. Du vrai Jekill and Hyde! Les enfants réagissent en réprimant leur vraie personnalité et se forgent des rôles que la littérature spécialisée sur les A.C.O.A. * a clairement identifiés. Voici ces rôles et dans quel ordre on les joue: le héros, le bouc émissaire, l'enfant perdu et le bouffon. Nous y reviendrons.

J'ai fait la connaissance d'un couple et de leurs quatre enfants qui sont, à toutes fins utiles, le prototype idéal d'une famille dysfonctionnelle. Ils ont accepté que je raconte leur histoire en me demandant de ne pas dévoiler leur nom. J'ouvre une parenthèse pour souligner que j'ai scrupuleusement respecté l'anonymat de toutes les personnes qui ont bien voulu témoigner dans ce livre, sauf dans les cas où il était pertinent de les identifier.

UN HOMME DÉMUNI

Philippe, âgé de 51 ans, est abstinent d'alcool et de médicaments d'ordonnance depuis deux ans et demi. C'est grâce à une thérapie de groupe qu'il réussit à s'en sortir, mais ce n'est pas facile. Écoutons ce qu'il a à dire sur sa vie et surtout sur son background familial.

«Lorsque j'ai épousé Thérèse, j'étais persuadé de pouvoir la rendre heureuse. Comme ma mère, elle était passive (lorsqu'il s'agissait de prendre soin d'elle-même) et hyper-active (pour s'occuper des affaires des autres). Moi, ça faisait mon affaire, je n'ai pas demandé mieux que de lui céder le contrôle de la maison, du budget, des loisirs. Je cherchais quelqu'un pour me materner: je me sentais si seul, si perdu dans la vie. C'est bizarre. Surtout que je réussis très bien professionnellement. Un vrai leader! À ce moment-là, l'alcool n'était pas encore un problème, mais mon manque de maturité en était un. J'imagine que mon infantilisme a été entretenu par ma mère qui, pleine de bonne volonté, m'a couvé et surprotégé pour compenser l'absentéisme de mon père. Ni l'un ni l'autre ne buvait.

«Je ne peux pas dire que j'ai manqué d'amour, mais j'avais l'impression de me faire écraser par maman qui avait le don de me culpabiliser chaque fois que j'essayais de ne pas me laisser manipuler par elle. Quant à mon père, il était dépressif et taciturne, ne riait jamais et s'enfermait souvent dans sa chambre pour «jongler». De temps en

* Voir bibliographie.

temps il faisait de terribles crises d'anxiété et de violentes colères. Je ne le voyais pratiquement jamais. Ai-je déjà vu mes parents s'embrasser ou se témoigner de la tendresse? Je ne crois pas. Bref, ça boitait quelque part chez nous. Je n'avais personne à qui me confier et, pour me rebalancer, j'ai développé une personnalité agressive cherchant toujours à mener les autres à l'école, puis au travail.»

Sans s'en rendre compte, Philippe vient de nous présenter l'image classique de deux adultes nés de familles dysfonctionnelles. Questionné sur ses antécédents familiaux, il lui est revenu en mémoire que son grand-père prenait «toute une tasse», selon l'expression consacrée à l'époque. Du côté de sa mère, il y avait plusieurs cas de dépression et même d'internement. «C'est difficile à expliquer car tout était caché. Il y avait ma tante Marie-Paule, par exemple, qui s'est ramassée à l'asile comme on disait dans le temps; elle était la honte de la famille et personne n'en parlait.» Philippe a donc toutes les prédispositions pour devenir alcoolique: facteur génétique important (le grand-père) et parents au comportement alcoolique, même s'ils ne buvaient pas.

UNE FEMME QUI COMPENSE

«Lorsque je me suis mariée, dit Thérèse, je rêvais de la vie en rose: maison confortable, beaux enfants, bon mari. Déjà j'étais irréaliste. Bien sûr, c'était légitime de désirer tout cela, mais il me manquait un élément important: l'estime de soi. Je n'étais pas consciente de cette lacune pourtant énorme! Je me suis esquintée à être l'épouse modèle et la mère parfaite, sans jamais me demander ce que je pouvais faire pour moi. Mon zèle me servait de prétexte pour éviter d'assumer mes responsabilités vis-à-vis de moi-même. Par exemple, lorsque les enfants furent assez vieux pour manger à l'école, je me suis persuadée que c'était meilleur pour leur santé de prendre un bon repas chaud à la maison. En plein hiver je m'habillais, sortais la voiture, allais les chercher et me sentais frustrée parce qu'ils ne me remerciaient pas. Après tout ce que je faisais pour eux! Quand je pense que j'aurais pu utiliser tout ce temps pour recommencer à jouer du piano et laisser les enfants vivre leur vie sociale en partageant leur lunch avec les autres à l'école! Mais, j'avais tellement besoin de me sentir indispensable. Je n'existais qu'à travers eux et mon mari.»

Interrogée sur sa propre famille, Thérèse avoue avec réticence que sa mère était alcoolique. «Oh! pas d'une manière dramatique, dit-elle, mais ça lui prenait toujours son petit apéro, son litre de vin en mangeant et son cognac en fin de soirée. Elle n'était jamais paquetée mais n'était jamais «là» non plus. De tempérament bohème, négligente et peu préoccupée par le bien-être de ses enfants, elle laissait la charge de la maison à sa fille. Le père, lui, fuyait le foyer et Thérère dit l'avoir aperçu un jour (elle en a pleuré pendant toute une semaine) en train d'embrasser une femme dans sa voiture. Si nous fouillons, nous découvrons des antécédents d'alcoolisme chez les arrière-grands-parents. Ce fameux comportement, appris ou héréditaire (ou les deux à la fois), s'est transmis de génération en génération. Sans le savoir ni même le vouloir, Thérèse s'avérait la partenaire idéale pour un alcoolique.

«Je n'ai rien vu de tout cela, dit-elle, mais je me rends compte maintenant que j'ai choisi de revivre, avec mon mari, la même relation que j'avais avec ma mère. Ça me valorisait. De cette manière, j'ai aidé mon mari à boire: j'oscillais entre la peine, la peur, la colère et la culpabilité, mais je dépendais tellement de lui que je refoulais tout et suis devenue, par compensation, super-responsable. J'ai toujours fait l'impossible pour arranger ses gaffes.»

«Plus je faisais le fou, raconte Philippe, plus elle était raisonnable. Plus je buvais, plus elle tentait de me cacher. Je me rappelle la fois où j'ai défoncé le mur d'un coup de poing. Le lendemain, tout était réparé, repeint; rien n'y paraissait. C'était facile pour moi de faire des conneries, elle réparait tout.»

En d'autres mots, Thérèse a été, ce qu'on appelle en jargon de thérapie, le «facilitateur principal» de l'alcoolisme du conjoint. De fil en aiguille, le couple a abouti à la crise inévitable. Philippe, dans un moment d'insanité, a détourné des fonds chez son employeur, a frappé Thérèse et, finalement, c'est le beau-père qui a tout arrangé pour éviter la prison à son gendre.

Thérèse: «Lorsque j'ai appris que Philippe voulait cet argent pour offrir une voiture à sa maîtresse, j'ai décidé de le quitter: il y a des limites à être masochiste! J'ai balancé tous mes arguments d'esclave. Par exemple: je n'ai pas de métier; je ne peux priver les enfants de leur père; c'est normal que nous, les femmes, nous soyons victimes des hommes (ma mère disait cela); le bon Dieu m'aime car il m'envoie beaucoup d'épreuves (éducation religieuse de mon époque...) J'ai été assez intelligente pour reconnaître mes lacunes et demander une aide que j'ai trouvée dans le mouvement des Al Anon.»

Thérère en réalise maintenant des choses, grâce à sa démarche de croissance personnelle. Elle comprend que ce n'est pas Dieu qui l'a mise dans la misère, mais bien son ignorance et son inconscience.

Au-delà des fonctions qu'elle s'est données (cuisinière, infirmière, bonne à tout faire, chauffeur, comptable...), elle découvre petit à petit, à l'âge de 49 ans, qu'il est grand temps de combler son vide intérieur en faisant des choses pour elle, afin de pouvoir véritablement donner aux autres, par la suite. Suffisamment lucide face à son problème de dépendance, elle a décidé de ne pas s'embarquer avec un autre homme. «Je choisirais probablement encore un alcoolique», me dit-elle en riant.

Comment Philippe réagit-il à la séparation? «Avant mon divorce, j'étais comme un enfant qui joue dehors des journées entières, sachant qu'il peut compter sur la présence de sa mère à la maison. Si jamais elle doit s'absenter, il oublie ses jeux, ses amis et s'enferme dans sa chambre. Vous le croirez si vous le voulez, mais après le départ de Thérèse, je me suis désintéressé de ma maîtresse! Je me demande aujourd'hui qui, de ma femme ou de moi, dépendait le plus de l'autre. Maintenant, je réalise que cette rupture était une bonne chose car, sans cela, je serais resté indéfiniment dans le confortable cocon tissé par Thérèse.

«La seule chose dont je me remets mal même après deux ans et demi d'abstinence, c'est de mesurer à froid le tort que j'ai fait à mes enfants. Pendant ma période de beuverie, il y avait tout de même en moi un petit coin, une minuscule zone saine qui voyait clair. Consterné, j'ai vu ma fille aînée, si confiante et si spontanée au départ, devenir progressivement méfiante et rigide. Que pouvais-je faire lorsque j'arrivais ivre aux petites heures, en face de Françoise qui consolait sa mère en larmes? Je sentais son mépris et sa haine. Je me promettais de l'aimer, la choyer, lui accorder plus d'attention, mais la bouteille m'entraînait loin d'elle. Quant à Jules, c'était un garçon si doux et si docile à sa naissance. J'ai été tellement injuste avec lui que j'ai dû le perturber à tout jamais. Je lui donnais souvent des ordres contradictoires, déterminant ce qui est permis ou pas selon mes sautes d'humeur. Il m'est arrivé de lui administrer une volée parce qu'il avait perdu au hockey alors que, la journée précédente, je lui avais expliqué que la seule chose importante, c'est la participation. Maintenant, Jules est un vrai porc-épic. Le jour du neuvième anniversaire de naissance de Benoît, je lui avais promis un beau train électrique. Seulement... en allant l'acheter, je me suis arrêté à un bar pour prendre *une seule* bière avant le souper de fête. Je suis évidemment entré vers les trois ou quatre heures du matin. Le lendemain au cours du «dîner-causerie», Thérèse m'a engueulé, je me suis défendu (le comble!) et Benoît, sans doute parce qu'il en avait assez des querelles, a dit qu'il ne tenait pas tant que ça à ce train et que tout était parfait... Mais il y avait tant de peine dans ses yeux...»

Philippe ajoute qu'il ne souhaite pas à son pire ennemi une épreuve comme celle-là: se voir détruire ceux qu'on aime. Maintenant qu'il a changé, les relations sont moins tendues entre lui et les enfants; il se fait du raccommodage. Il essaie tant bien que mal de se pardonner et je le lui souhaite du fond du coeur.

DES ENFANTS MÉSADAPTÉS

J'ai rencontré Françoise, Jules, Benoît et Murielle, les quatre enfants de Philippe et Thérèse, pour voir comment ils ont réagi aux conditions de vie créées par l'alcoolisme du père et la codépendance de la mère. Je n'en reviens pas encore de constater jusqu'à quel point ils collent aux portraits typiques des enfants issus de familles dysfonctionnelles. Tous éprouvent des sentiments de peine, solitude, colère, confusion ou insuffisance, mais chacun d'entre eux se bâtit un système de défense particulier, selon le rang qu'il occupe dans la famille. En adoptant les rôles déjà mentionnés, ils annihilent leur vraie personnalité et deviennent des adultes mésadaptés. Les A.N.P.A. vont se reconnaître en tout ou en partie dans les descriptions qui suivent. Ne soyez pas surpris si vous constatez que vous combinez des rôles différents ou passez d'un rôle à l'autre selon les périodes de votre vie. Cela se rencontre fréquemment. Pour bien illustrer mon propos, voyons comment l'aînée, Françoise, s'est débrouillée avec le problème familial.

LE HÉROS OU LE SAUVETEUR

Âgée de 26 ans, Françoise est installée dans son appartement depuis un bon moment. La plupart des aînés vont rapidement mener une vie indépendante loin de leur famille. Très jeunes, ils ont le sentiment qu'eux seuls peuvent sauver la situation. Ils prennent la défense des plus petits, développent la manie de tout contrôler et tentent de maintenir l'ordre et l'harmonie à tout prix, cherchant constamment à être approuvés. Comme ils échouent dans cette tâche évidemment beaucoup trop lourde pour eux, ils compensent par une soif démesurée de succès. Ceci les fait passer pour des opportunistes, mais ce n'est pas nécessairement le cas.

«J'ai toujours eu l'impression que moi seule voyais et comprenais ce qui se passait à la maison. Intelligente et lucide, je me sentais capable de trouver des solutions à notre «psychodrame». Même petite, j'ai endossé la responsabilité du bonheur, ou plutôt, du malheur familial. J'ai essayé de faire entendre le bon sens à mon père, puis à ma mère. Lui ne possédait pas ses esprits; elle n'avait pas de colonne vertébrale. C'était moi qui jouais les adultes et eux, les parents, faisaient les enfants. Tant et si bien que je me suis retrouvée la «nanny» de tout le monde. Mes jeunes frères et soeurs avaient d'ailleurs une admiration sans bornes pour moi. Peut-être que je le méritais un peu... J'étais la seule à maintenir une certaine structure qui nous manquait à tous. Mais comme les choses empiraient avec le temps, je me sentais perdre du terrain malgré mes efforts de salvatrice: il en est résulté un terrible sentiment d'être inadéquate. N'ayant plus aucune confiance en moi, je me suis valorisée en allant chercher des succès visibles: première de classe, championne en gymnastique, etc.»

Délivrée du milieu malsain de son enfance, Françoise arrive-t-elle à se débarrasser de ses comportements acquis?

«Pas du tout! Je cherche toujours à épater ou à battre des records. Avec ça, je n'arrive jamais à me détendre réellement ni à m'amuser de plein coeur. De plus, j'ai conservé ma mauvaise habitude de mentir, comme je le faisais chez nous pour cacher les bêtises de mon père. C'est comme si je ne réalisais pas qu'il n'est plus nécessaire de dissimuler ou camoufler. La manie du contrôle ne me lâche pas non plus: j'essaie encore de maîtriser ou dominer toute situation, je porte le monde sur mes épaules et ne me laisse jamais aller. Faire confiance à qui que ce soit, même à ma psychothérapeute, m'est impossible. Que voulez-vous, quand on a passé des dimanches après-midi assise sur les marches du balcon à attendre que papa vienne nous chercher pour le pique-nique promis... Quand on ne peut pas compter sur la mère non plus, parce qu'elle est incapable de s'affirmer devant son mari...»

«Tout cela est très dur à vivre. Au bureau, je souffre de travaillite aiguë et ne me laisse mener par personne. Ça fait des «flammèches» avec le patron. Pour ce qui est des relations amoureuses, c'est la catastrophe: je n'attire que des hommes faibles que je rejette rapidement. Résultat: je me retrouve seule, trop seule... (Elle réprime un sanglot.) Finalement, je me suis tournée vers l'alcool et les médicaments; ils me détendent et me tiennent compagnie. Dire que je m'étais juré que jamais, au grand jamais, je ne finirais comme mon père! Pour le moment, je contrôle ma boisson, mais est-ce que je vais toujours être capable d'appliquer les freins? On verra. En attendant, ce qui m'encourage, c'est de voir comment mon père et ma mère s'en sortent.»

LE BOUC ÉMISSAIRE OU L'ENFANT REBELLE

Jules, âgé de vingt-trois ans, a été un élève à problèmes à l'école et un fauteur de troubles au travail. Il se conduit comme un idiot en société.

C'est l'exemple parfait du deuxième enfant issu d'une famille dysfonctionnelle. Celui-ci a la particularité d'attirer sur sa seule personne les foudres des membres les plus agressifs de la famille. Il dissimule ses sentiments les plus profonds en se donnant une humeur maussade, un aspect renfrogné, une attitude hostile et provocatrice. Généralement, il ne peut se définir que par une appartenance à un groupe.

«Chez nous, tout le monde était capoté. Le comportement injuste de mon père, qui s'en prenait presque exclusivement à moi, m'enrageait et je méprisais la mollesse de ma mère. Quand je voyais Françoise se fendre en quatre, ça augmentait ma révolte. D'autant plus qu'elle se mêlait parfois de me faire la morale! Moi, ce que je voulais c'était être aimé. J'ai refusé d'acheter l'affection ou la paix, comme mes frères et soeurs et je me suis détaché de la famille. Mais comme il m'en fallait tout de même une, je me suis tenu avec des gangs pas trop recommandables. C'est ainsi que j'ai expérimenté le «pot» et le «hash». J'ai fait des fugues, mes professeurs ont essayé de me raisonner mais je me suis renfermé. Que leur dire, d'ailleurs? Ce qui se passait à la maison n'était pas racontable et j'avais honte. De plus, je me suis toujours révolté contre l'autorité.»

Jules est visiblement exaspéré. Son comportement délinquant est sa façon à lui de s'affirmer, de montrer à sa famille et à la société qu'il existe. Envers les femmes, c'est une fleur bleue qui s'ignore. Il se donne un air macho qui les fait toutes fuir. Ses fanfaronnades lui font beaucoup de tort.

«Ça dépend où. Avec mes copains, tout passe. Mais lorsque je me suis mis à chanter des chansons pornos au grand souper de famille chez mes grands-parents!... Qu'est-ce qui m'a pris de faire ça? Je ne suis pourtant pas imbécile et je n'avais rien fumé cette fois-là. On dirait qu'il faut toujours que je prenne les devants avec maladresse et agressivité pour contrer d'avance des attaques qui souvent n'arrivent même pas. Pourtant, je ne suis plus à la maison et mon père n'est plus là pour me talonner. Avec tout ça, je suis un perpétuel perdant. Ce n'est pas pour rien que j'ai été congédié encore une fois. J'ai beau être compétent, je me place toujours en situation de conflit avec mes patrons.»

En résumé, Jules est draconien, incapable d'accepter la critique et de faire des compromis. Son problème de drogue n'est pas encore crucial, mais pourrait le devenir. Ça dépend jusqu'à quel point ce coeur tendre va consentir à abandonner son personnage du dur à cuire.

L'ENFANT PERDU

Le troisième de la famille se nomme Benoît. Âgé de 21 ans, il est rêveur à l'école, fainéant au travail et solitaire en société. Extrêmement réservé, tranquille, distant, insaisissable et superindépendant, il supporte encore moins le rejet que les autres. Se coupant des gens ou des événements, son rôle en est un de douleur et de solitude. Il accumule les malaises psychosomatiques et souffre d'obésité. C'est peut-être le plus blessé de tous, le plus difficile à atteindre en tout cas.

«On dit que l'alcoolisme est un mal progressif et je suppose que c'est vrai. Pour ma part, je n'ai connu mon père que dans son pire. Devant toute cette folie, tout ce que j'ai pu trouver à faire, c'est de me retirer dans ma chambre en tremblant de peur. Ainsi, je ne me faisais pas remarquer. J'étais celui dont on n'avait pas à se préoccuper. J'apportais, en quelque sorte, du soulagement à tout le monde en me faisant oublier. Françoise n'avait même pas besoin de me consoler, je ne pleurais jamais. C'est ainsi que je passais pour l'enfant parfait et personne n'a compris jusquà quel point j'étais malheureux et déprimé.»

Benoît a appliqué inconsciemment les trois règles que Claudia Black a décrites dans un de ses premiers livres sur les A.C.O.A.: «Ne parle pas, ne fais pas confiance, ne sens rien.» S'il ne dit rien, nul ne saura ce qu'il ressent et il aura moins de chance de se faire blesser davantage; s'il ne demande rien, il ne risque pas le rejet; s'il est invisible, il est à l'abri de tous les coups. Comme un être humain ne peut se nier ainsi indéfiniment, son organisme trouvera un exutoire dans la maladie physique. Benoît souffre d'ulcères d'estomac, migraines, eczéma et maux de dos. Le pire, c'est qu'à travers tout cela il se sent coupable d'être malade un peu, comme s'il n'avait pas le droit d'exister.

«Je ne me souviens pas avoir jamais osé exprimer une opinion de toute mon enfance et ce comportement me suit. L'autre jour, une fille qui me plaisait m'a traité de lavette. Elle avait raison! Médiocre à l'université, trop gras, morose, je n'ai aucune personnalité. Il m'est impossible d'établir une forme quelconque de communication, je ne sais pas qui je suis, mon estime de moi est très basse et je laisse tout le monde me manipuler. Avec les femmes, je suis maladroit et gaffeur, ma vie amoureuse n'est qu'une suite d'échecs. Je ne sais où je m'en vais avec tout cela, je piétine, fais semblant de vivre, n'existe qu'à travers mes fantasmes. J'ai envie de laisser mes études qui ne m'intéressent plus. Je me sens également démotivé par mon modeste emploi de libraire qui me plaisait pourtant au départ et je passe pour un paresseux. Plus rien ne m'intéresse; j'annule systématiquement mes sorties et mes rendez-vous et, de toute façon, même si j'avais envie d'y aller, j'aurais toujours un mal de tête ou de dos qui m'en empêcherait. J'ai l'impression qu'un de ces jours je vais me ramasser à l'hôpital psychiatrique... pour ne jamais en ressortir, peut-être...»

Les enfants perdus aboutissent souvent dans les services de psychiatrie où les diagnostics établis sont tristes: névrose, psychose, paranoïa, maniaco-dépressif... Mais prends courage, Benoît, il y a d'autres solutions...

LA MASCOTTE OU LE BOUFFON

Nous arrivons à Murielle, la quatrième et dernière de notre famille dysfonctionnelle. Elle a subi des chocs similaires à ceux de ses aînés, mais au lieu de devenir comme eux, héroïque, agressive ou effacée, elle se fait adorable: humour, coquetterie, fragilité, bouffonnerie... Ne pouvant supporter la lourdeur et les tensions du climat familial, elle trouve une soupape en tournant les choses en rigolade. C'est sa façon à elle de nier une réalité trop dure. Ça fait l'affaire de ses frères et soeurs et même des parents qui ont grand besoin de soulagement: tous encouragent Murielle dans son rôle. Par contre, personne ne la prend au sérieux ou ne l'écoute lorsqu'elle a besoin de compréhension ou a des problèmes à régler. Elle est victime d'une espèce de chantage émotif qui sous-entend: «Si tu veux te faire aimer, amuse-nous.» Murielle est un personnage-caméléon, très instable et difficile à saisir, puisqu'elle compose ses agissements en fonction des réactions de l'entourage. Sa plus grande souffrance vient de l'impossibilité qu'elle éprouve à s'identifier à un modèle féminin. L'image de la mère-servante ne lui plaît pas, la soeur-*life-guard* non plus. C'est sans doute la raison pour laquelle elle persiste dans sa faiblesse et son infantilisme.

«Je me rappelle la fois où toute la famille assistait, navrée, au spectacle de mon père ivre tentant de téléphoner. Il avait beau pitonner, recomposer le numéro, engueuler l'opératrice, rien ne fonctionnait et pour cause: il tenait un crucifix sur son oreille au lieu du combiné! J'ai claironné: «Papa, tu cherches un contact avec Dieu?» Comment aurait-on pu rejeter une fille drôle comme moi? La clownerie est un abri formidable et je l'ai transféré de la maison à l'école. Mes petites amies riaient de mes coups pendables, mais les professeurs me traitaient de tête folle, superficielle, immature. Comme j'avais de sérieux problèmes d'apprentissage, cela confirmait leur opinion. Pourtant, ce n'était pas l'intelligence qui me manquait, mais la capacité de me concentrer. Aurais-je pu être présente en classe quand, le matin même, j'entendais mon père menacer ma mère de la tuer? J'ai beau plaisanter avec n'importe quoi, le tragique de la situation a fini par me rattraper.»

«N'empêche que je dois être déficiente quelque part car, malgré une brillante vie sociale, toutes mes amies m'abandonnent. L'une d'elles m'a fait réfléchir, l'autre jour, en me parlant franchement. Elle m'a dit qu'en prenant comme ça des allures d'«agace-pissette», je satisfaisais mon hyperbesoin d'être entourée de garçons, mais que je restais toujours sur ma faim de communication profonde. D'après elle, la frivolité et la séduction m'éloignent de la satisfaction de mes besoins réels. Avec les filles, a-t-elle ajouté, je suis frustrante: j'ai une faible capacité d'écoute, la manie d'ironiser à contre-temps, mon jugement est mauvais et je sous-évalue leurs problèmes. De plus, ça l'énerve de me voir inconsistante dans mes opinions: je change de chemise, au hasard de mes rencontres. Peut-être mes professeurs avaient-ils raison lorsqu'ils me traitaient de girouette?»

ANGES OU DÉMONS?

En résumé, les enfants de Philippe et Thérèse se retrouvent maintenant coincés dans leurs techniques de survie. Qu'adviendra-t-il d'eux? Ils semblent être des candidats idéaux pour l'alcoolisme et l'abus de médicaments (Françoise), la prison ou la drogue (Jules), le suicide ou l'institution psychiatrique (Benoît), la prostitution ou la vie étriquée de la femme-enfant (Murielle). J'ignore comment ils finiront, mais je sais que la catastrophe n'est pas obligatoire: j'ai trop vu d'adultes nés de familles dysfonctionnelles s'en sortir et réussir à défaire les noeuds inscrits dans leurs psychismes d'enfants.

Comment y sont-ils parvenus? Les moyens concrets sont multiples, mais la démarche fondamentale a été identique pour tous. Premièrement, ils ont eu l'humilité d'admettre qu'ils avaient un problème, cessé d'attendre que le «gros méchant» parent change, fait face à la réalité et passé courageusement à l'action. Ils ont pris conscience que ces manèges inventés au foyer pour se protéger contre la douleur ne leur sont plus d'aucune utilité. Au contraire, ils constituent des boulets qui les confinent à la stagnation. Mieux encore, ils ont tourné, à leur avantage, leurs tares et leurs déficiences en purifiant leurs perceptions du présent contaminées par le passé.

Ainsi, Françoise pourrait fort bien utiliser sa tendance à l'altruisme en devenant psychothérapeute; Jules serait sûrement très compétent comme éducateur auprès d'adolescents en difficulté; l'hypersensibilité de Benoît peut l'amener à être un créateur, un grand artiste; et je vois fort bien Murielle «sur les planches» ou travaillant comme relationniste.

Alors, Françoise, Jules, Benoît, Murielle et tous les autres A.N.P.A., mettez-vous à l'oeuvre. Il y a de l'espoir! Les alchimistes du Moyen Âge réussissaient bien à transmuter de vils métaux en or pur.

Chapitre III

UN PÈRE ALCOOLIQUE PARLE

Vos enfants ne sont pas vos enfants.
Ils viennent à travers vous, mais non de vous.
Et bien qu'ils soient avec vous,
ils ne vous appartiennent pas.

Khalil Gibran

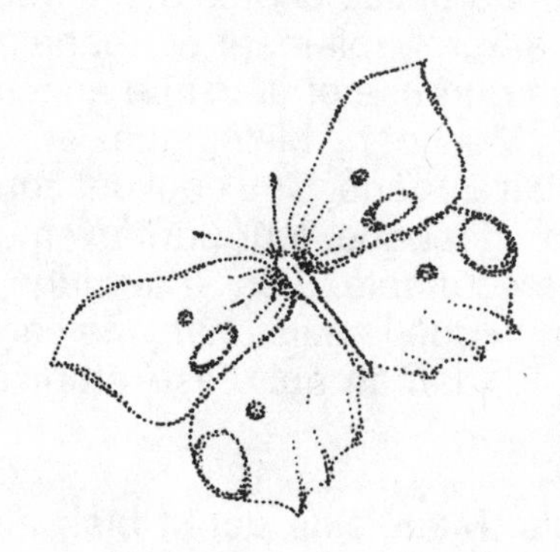

Quand on lit le récit de vies d'enfants d'alcooliques, on a mal pour eux... avec eux. Pourquoi tant de souffrances? On peut avoir tendance à condamner et même à haïr la personne soi-disant responsable de tous les malheurs: l'alcoolique. Sans chercher d'excuse à un comportement inexcusable, il reste que si nous en savions davantage avant de critiquer, peut-être serions-nous moins sévères dans nos jugements. Si j'ai choisi de vous présenter Jean-François, c'est que son cas illustre bien ce qui arrive à une victime du manque de tolérance et d'amour.

Cet homme, âgé de 58 ans, est victime non seulement d'un foyer mais aussi d'une société dysfonctionnelle. TOUT ce qui peut contribuer à l'équilibre d'un être humain lui a été refusé. C'est un cas extrême, me direz-vous, et c'est la raison pour laquelle je l'ai choisi. Il a eu des réactions extrêmes qui nous démontrent bien jusqu'où peut aller un être humain auquel on a refusé le strict minimum sur le plan affectif. On dit qu'il y a souvent un problème psycho-social sous-jacent à l'alcoolisme. Je crois que c'est vrai et, réflexion faite, bien peu d'entre nous sommes sortis psychologiquement indemnes de la série de chocs qui ont marqué notre naissance et notre enfance. Mais laissons la parole à Jean-François.

«Ma mère s'appelait Madeleine et faisait partie de la haute bourgeoisie de Québec. Elle avait épousé un médecin en vue et sa grande élégance m'a toujours frappé. J'ai de belles photos d'elle que je conserve précieusement. Sa vie aurait probablement été banale et sans histoire si elle n'était tombée amoureuse et devenue enceinte d'un autre monsieur que son mari. Mon père biologique, émigré français d'origine espagnole, s'appelait Eugène. Ceux qui ont connu l'étroitesse d'esprit des Québécois de l'époque, leur puritanisme et leur intolérance, peuvent imaginer le scandale. J'en ai dérangé du monde en naissant et ça fait longtemps que je suis anonyme car on a même camouflé l'accouchement de maman qui s'est réfugiée à Montréal pour me donner le jour.»

D'après ce que sait Jean-François, Madeleine aurait bien aimé garder son enfant, mais les pressions familiales et son rang social l'en ont empêchée. On peut également supposer que le mari de cette dernière ne tenait pas à adopter le fruit des amours illicites de son épouse. Tout ça, c'est bien joli; ça fait l'affaire des adultes, mais l'enfant pendant ce temps-là?... La mère ne s'est pas résignée à le confier pour adoption et le véritable père n'a pas voulu le prendre avec lui pour des raisons inconnues. L'infortuné Jean-François a donc rejoint le grand cortège des abandonnés.

«Je ne me rappelle pas grand-chose de ma toute petite enfance; les images sont floues. Trois visages de femmes se superposent: la travailleuse sociale, ma mère et la brave femme qui s'occupait de moi. Cette dernière m'a probablement donné un peu d'amour, mais son mari était alcoolique et, si ma mémoire est bonne, je n'avais même pas trois ans lorsqu'il m'a frappé assez brutalement pour que je tombe en pleine face par terre. Je me rappelle également que cette femme me cachait dans un tiroir afin que son mari ne me batte pas. De toute façon, j'ai été charroyé comme ça d'un foyer nourricier à l'autre, pendant de longues années. Quand j'y repense, j'ai dérangé tellement de monde en osant naître que je me suis toujours senti coupable d'exister. Heureusement qu'il y a eu les caresses de maman. Mais je n'avais que trois ans lorsqu'elle a été atteinte d'une maladie qui ne pardonnait pas à l'époque: la tuberculose pulmonaire. À partir de ce jour, ce fut un calvaire, une lente agonie pour elle et pour moi qui la voyait dépérir. Désormais, je ne verrais plus le sourire de ma mère, je ne sentirais plus ses douces lèvres se poser sur mon front. Lors de mes visites, pour éviter la contagion, elle portait voilette et gants. Que c'était triste et dur. Moi si petit qui avait besoin de me blottir dans ses bras et me faire bercer, elle ne pouvait même pas me toucher. Je me rappelle qu'au cours de nos conversations mélancoliques, elle murmurait: «François... mon François...» et effleurait mon avant-bras de sa main gantée. Ce fut mon seul contact physique avec elle pendant dix années.»

On peut se demander comment cet enfant en manque d'affection a pu traverser ces années difficiles. Le bilan des divers foyers dans lesquels il a vécu est suffisant pour faire dresser les cheveux sur la tête. Non, il n'a pas été torturé par des fous ou des maniaques. Pire, il a été tout simplement ignoré et cela fait vraisemblablement plus mal que d'avoir été battu ou maltraité, à en juger par les divers témoignages recueillis pour les besoins de ce livre.

«Rien n'est plus dur pour le moral d'un enfant que de changer constamment de place. Dès que je commençais à m'attacher, à avoir des amis, un chien, un chat, un endroit à aimer, je devais déménager. Est-ce parce que papa ne payait pas ma pension? Je ne sais pas. Mais jamais de ma vie je n'ai été bordé le soir, jamais je n'ai été complimenté ou valorisé. Les plus humains ont été des fermiers qui me disaient: «Gagne ta pitance.» Savez-vous ce que ça veut dire de se faire reprocher la nourriture qu'on mange? Savez-vous ce que c'est d'être habillé avec les guenilles des autres, de ne jamais avoir un seul petit jouet à soi? Je ne possédais aucun objet personnel et dès qu'on me déménageait, je devais tout laisser. Je n'ai même pas eu droit à un ourson ou à un toutou en peluche de toute mon enfance. Inutile de dire que je n'avais aucun sens de mon identité; pas de mère, un père bohème qui se manifestait rarement, pas de grands-parents, de cousins, de cousines, d'oncles ou de tantes. Qui étais-je? J'avais l'impression d'être parent avec tout le monde, d'une certaine façon, mais personne n'était parent avec moi.»

On peut facilement imaginer la solitude tragique de cet enfant qui pleurait tous les soirs dans son petit lit. Il n'avait même pas droit à ses larmes: il se trouvait toujours d'autres pensionnaires pour rire de lui et le faire taire car, évidemment, Jean-François n'avait pas de chambre à lui. «On peut penser que c'est difficile à croire, mais la toute première fois que j'ai eu une chambre bien à moi, ce fut au moment de mon mariage, à 23 ans. Avant, j'ai vécu dans des dortoirs, des orphelinats, des fermes, des maisons de pension, des collèges, peu importe, mais je n'ai jamais été capable d'avoir la moindre intimité. Savez-vous ce qui me faisait le plus mal? Les jours de visite, la plupart des autres enfants recevaient des bonbons, jouets, livres et caresses. Chaque fois, j'avais l'impression que la ville de Québec au complet me rejetait. C'était effectivement le cas, mais j'étais trop jeune pour le comprendre. Que voulez-vous... l'enfant du péché! Comme mon père était anticlérical et ne se gênait pas pour afficher ses convictions à la radio (il était animateur entre autres choses), ça n'a pas aidé. J'étais un hors-la-loi, de la mauvaise graine; il ne fallait pas se tenir avec moi, j'étais un communiste! Pensez-vous qu'un enfant de cinq ou six ans peut comprendre cela?»

Encore aujourd'hui Jean-François a de la difficulté à garder son sang-froid pour parler de tout cela. Il fait des efforts louables pour conserver son calme, mais on le sent frémir de peine et de révolte face au sort qu'on lui a réservé alors qu'il ne demandait qu'un tout petit peu d'amour.

Un jour, on lui a crié: «Vite, descends à Québec (il vivait à la campagne), ta mère se meurt.»

«En route vers Québec, je pleurais en priant avec ferveur et me répétais: «Maman, ne meurs pas, attends-moi pour que je puisse au moins te faire mes adieux.» Une fois arrivé, elle n'était plus, c'est ainsi que je me suis retrouvé orphelin de mère à 13 ans. Est-ce que ceci a réveillé mon père, secoué son sens des responsabilités? Si peu... si peu... il me sortait de temps en temps et me présentait en disant: «Voilà mon fiston», puis m'oubliait pour plusieurs semaines. Je tentais de me remettre du choc de la mort de ma mère du mieux que je le pouvais. Mais je le prenais mal, ayant perdu le seul être qui me donnait de la tendresse et de l'affection.

«Au cours de la même année, j'ai fait la connaissance de Geneviève, âgée elle aussi de 13 ans. J'en tombai amoureux, d'un amour pur et romantique. Quand son père, un notable du village, a appris que sa fille sortait avec un voyou, un vaurien, un bâtard, ce fut le drame. Il a fait jouer ses influences et, à toutes fins utiles, on m'a chassé de ce village comme un vulgaire criminel. Moi qui n'avais déjà pas trop confiance en moi...»

«N'aurais-je jamais une place quelque part? À l'âge de 14 ans donc, pleurant ma campagne que j'aimais tant, je me suis retrouvé enfermé dans un collège triste et gris, maudissant mon sort, me demandant pourquoi on me traitait continuellement en pestiféré. Certains disent qu'ils ont perdu leur sens de la dignité en buvant, mais pas moi... En ai-je jamais eu?»

L'adolescence de Jean-François a été la suite logique de son enfance. Au collège, ce ne fut pas long que des frères pédérastes ont jeté leur dévolu sur ce bel adolescent aux yeux de biche effrayée. Seul, négligé par son père, rejeté de tous, il sera une proie facile.

«J'étais comme un chien perdu sans collier; j'aurais fait n'importe quoi pour me faire aimer. Déjà, je tentais d'acheter l'amitié de mes camarades en échange de menus objets auxquels je tenais. Par la suite, dans ma vie d'adulte, j'ai tenté d'acheter l'amour des femmes. J'étais alors pas mal niais au chapitre de la sexualité et dans beaucoup d'autres domaines également. Personne ne s'était donné la peine de m'éduquer.»

«J'avais appris deux choses dans la vie: m'excuser de ma présence et travailler fort pour ne pas me faire reprocher ma pitance. Quand un frère a commencé à m'initier aux plaisirs de la masturbation et qu'il s'est permis certains attouchements, moi, pauvre innocent, je n'ai pas osé protester. Et puis, ne connaissant rien de mieux, je dois avouer que j'ai trouvé ça bon; j'étais tout de même à l'âge de la puberté. De plus, ce genre de pratique était monnaie courante au collège; c'est beaucoup plus tard que j'ai réalisé jusqu'à quel point on avait abusé de mon ignorance et de ma naïveté. C'est ici que ça se complique: il y avait la religion. Mon initiateur m'affirmait que c'était correct et que nous agissions «pour la gloire de Dieu». Que faire toutefois le lendemain alors qu'il fallait se confesser? J'ai toujours été pieux. La culpabilité me torturait et j'étais persuadé d'aller brûler en enfer. Quand il fallait communier, je me mettais donc en état de sacrilège. Devais-je avouer tout cela à mon confesseur? Impossible évidemment. Alors je me suis finalement sauvé pour consulter ailleurs un autre directeur spirituel. La chose s'est sue et c'est ainsi, encore une fois, que j'ai été traité d'indésirable. J'en ai sangloté un coup, me demandant à quel saint me vouer, à qui demander conseil.»

Jean-François aurait bien voulu se confier à son père, mais ce dernier faisait la noce. Le bon vin, les femmes, les limousines, rien de trop beau!

«Moi, pendant ce temps, je n'avais même pas d'argent pour prendre le tramway. Malgré tout, j'ai essayé de devenir quelqu'un en devenant premier de classe et en pratiquant divers sports avec succès, mais rien ne pouvait effacer ce profond sentiment de tristesse et de solitude que je traînais. Je ne savais pas, non plus, qu'il se tramait des choses dans mon dos. La haute société québécoise s'inquiétait de l'aura de péché qu'on m'attribuait. Un couple m'a adopté, à l'âge de 19 ans, peu de temps après le décès de mon père mort le derrière sur la paille. Ces gens m'ont donc imposé leur nom. Ceci signifie pour moi que j'ai été légalement dépouillé de la seule chose qui m'appartenait réellement sur la terre depuis ma naissance: mon nom. Tout à coup, je me suis retrouvé avec un nouveau baptistère sur lequel on avait même fait disparaître le nom de mon père. Je n'avais plus d'origine et devenais enfant né de parents inconnus!»

«Inutile de vous dire que ça m'a révolté et que la vie n'a pas été facile avec ma nouvelle famille. Ils étaient ce qu'il est convenu d'appeler du bon monde. Par contre, ma mère adoptive voyait le péché et le sexe partout; c'était une punaise de sacristie, une scrupuleuse qui ne ratait pas une occasion de dénigrer mes parents: «Ton père était un coureur de jupons et ta mère, une putain.» À ses yeux, les hommes étaient tous des cochons, ils ne pensaient qu'à «ça» et comme mon expérience en sexualité était limitée à ce que vous savez...»

Jean-François dit que cette obsédée lui a finalement mis des idées dans la tête. Il était donc prêt pour sa première aventure quand une dame d'un certain âge, pour ne pas dire d'un âge certain, l'a remarqué. Peu de temps après, la jeune maîtresse de son défunt père entreprenait de le déniaiser. C'est ainsi qu'il a découvert les joies du sexe, joies qui furent troublées par les images obsédantes de ce qui s'était passé au collège. «Suis-je normal, homosexuel ou quoi?»

«Simultanément, je travaillais d'arrache-pied pour payer mes cours de graphisme car j'étais pas mal doué. Au moment où je terminais les études que j'avais gagnées de peine et de misère on a découvert que j'avais une tache sur les poumons et on m'imposa une longue période de repos complet. Un autre rêve venait de s'envoler: je ne pouvais me présenter aux examens ni me lancer dans ce métier qui m'intéressait tellement.»

«C'est à ce moment que j'ai découvert les merveilles de l'alcool. Finie la dépression que je traînais depuis ma naissance. Finie la gêne; je pouvais parler, danser, prendre ma place. L'alcool fut mon passeport vers la communication. Je n'oublierai jamais ma première cuite au cabaret Coronet. J'ai peut-être été malade, mais j'avais, pour une fois, oublié les injustices dont j'avais été victime toute ma vie.»

Ivre plus souvent qu'autrement, Jean-François se réveille, un beau matin, vêtu d'un bel uniforme bleu... Il s'était engagé dans l'aviation pendant un *black out*.

«J'ai cru avoir enfin trouvé ma place. Ce que je ne savais pas, c'est que toute la rage, la peine, la colère, les frustrations, les larmes que j'avais refoulées allaient me mener dans des bas-fonds inextricables.»

LE MARIAGE

«Je me marie à 23 ans, ignorant tout des responsabilités de l'existence. Je m'installe en Europe avec une épouse et un fils, Bernard, né avec une malformation cardiaque. Nous avons bien failli le perdre à sa naissance. C'est là que je réalise à quel point je ne suis pas équipé pour affronter la vie. Déjà l'alcool prenait le pas sur l'affection que je portais à mon épouse et à mon fils. Peut-on imaginer combien il peut être douloureux de négliger les gens qu'on aime parce qu'on est esclave d'une substance quelconque? Aujourd'hui, je me rends bien compte, à cause de tous les manques de mon enfance, que j'étais un bon candidat pour l'alcoolisme et je ne le mentionne pas pour me justifier. Je dois dire, à ma décharge, que j'ai essayé de m'adapter à la vie conjugale, mais rien n'y faisait. Je préférais les sorties, les partys, les endroits où je pouvais être un autre.»

«Mon passé atroce me faisait encore énormément souffrir et je m'efforçais de maintenir le pseudo Jean-François que je m'étais inventé. Celui-ci allait prendre le dessus sur le vrai Jean-François et c'est ainsi que j'ai perdu la maîtrise de ma vie. Maintenant que j'ai la sagesse de le savoir, je me rends compte que j'étais en pleine brume lors de mon mariage et que je vivais dans un monde d'illusion depuis des années. Que voulez-vous... quand le quotidien est invivable, on se réfugie loin... au fond de sa tête... on perd pied, contact... on ne retrouve plus son chemin dans le monde des vivants...»

«J'étais perdu dans une bulle, dans une euphorie tellement pernicieuse que la présence de mon épouse et celle de mon enfant furent insuffisantes pour me ramener à la réalité.»

Jean-François, boit, fait la fête, couraille. Cependant, une sourde culpabilité couve, le mine: il sait qu'il est sur la mauvaise voie, mais l'obsession de boire le mène. Il devient un véritable volcan ambulant.

«Ça faisait une éternité que j'encaissais. Et puisque je n'ai pu m'exprimer dans mon enfance, toute cette agressivité et cette colère accumulées bouillonnaient en moi. Dès que j'avais un verre dans le corps, je cherchais la bataille dans les clubs où on me qualifiait de baveux. Je m'attaquais à de véritables armoires à glace et je suis un vrai curedent: six pieds, 115 livres. Je suis revenu à la base souvent très amoché. Mon épouse, découragée, a demandé conseil au padre, qui m'a référé à un psychiatre. Ça n'a pas aidé du tout. Il me demandait de lui raconter ce que j'avais en tête alors que je l'ignorais moi-même. J'essayais de me conformer à la discipline militaire, mais je détestais l'attitude autoritaire des officiers francophones qui n'auraient pas parlé français pour tout l'or du monde et gueulaient des ordres en anglais. En fait, je me suis fait pas mal écoeurer parce que j'étais canadien-français et, encore là, je me suis senti rejeté.»

La crise couvait: des années et des années de misère morale et de solitude allaient provoquer un éclatement de tout son être: Jean-François aurait de la difficulté à s'en remettre.

«J'étais déprimé et suicidaire, c'est certain, mais trop lâche pour me tuer. J'ai flirté avec la mort, dévalant des montagnes à toute vitesse la nuit, frôlant dangereusement des ravins, mais jamais il ne m'est arrivé quoi que ce soit. Je me suis mis dans des situations extrêmement précaires et, finalement, toute la violence qui couvait en moi depuis tant d'années a explosé. Un jour, dans un hangar, j'ai complètement perdu la tête et me suis mis à lancer des boîtes de jus de tomates aux 42 personnes présentes. Si j'avais eu en mains une mitraillette, personne n'en serait sorti vivant, je vous le jure. Heureusement que quelqu'un m'a assommé, sinon... À cette époque, nous étions stationnés à Metz, mais j'ai été référé à l'Institut psychiatrique de Francfort.»

Jean-François n'a que 26 ans mais déjà il est considéré «dangereux pour lui-même et pour les autres». On a commencé par lui passer la camisole de force car il voulait se sauver. Puis on l'a confiné à une minuscule cellule aux murs capitonnés de gros matelas.

«J'ai pleuré, hurlé, sangloté, menacé, demandé qu'on me sorte de là; rien à faire. De temps en temps, un infirmier m'administrait une injection. On me faisait prendre des médicaments et ça n'arrangeait rien. De rares visites chez le psychiatre n'ont pas fait avancer les choses non plus. Pour vous dire la vérité, j'en oublie des grands bouts. Je sais que lorsque je restais prostré trop longtemps, on me plongeait dans des bains glacés pour me sortir de ma torpeur. Quand je devenais trop violent, c'était la piqûre calmante, le fauteuil roulant et les électrochocs. On m'attachait, me mettait un dispositif pour que je ne m'étouffe pas avec ma langue puis, sous la violence des convulsions, je m'évanouissais. On me ramenait en civière dans ma cellule.»

Après un an et demi de ce régime, Jean-François se portait assez bien pour bénéficier de quelques sorties. Finalement, il fut rapatrié au Canada. Après un licenciement honorable, il réalise qu'il a besoin d'aide. L'alcool et la dépression le mènent toujours. C'est de son plein gré, cette fois, qu'il consulte un psychiatre. Il faut dire que, entre temps, son épouse avait donné le jour à un couple de jumeaux et à une autre fille, ce qui n'a fait que compliquer sa vie. Mentalement malade, alcoolique avancé, gelé par les médicaments, il est incapable de prendre ses responsabilités de père. Pour cette raison, il se résigne à demander le divorce. À son état psychologique pitoyable, s'ajoutent les remords, la culpabilité et c'est heureux, dit-il, qu'il ait eu l'alcool comme garde-fou (sans jeu de mot). Autrement, son mental aurait complètement sauté. Pendant une quinzaine d'années, il ignore presque tout de la réalité, ne sait pas où sont ses enfants et boit de plus en plus pour oublier.

«Je vivais ma folie. Y avait-il autre chose à faire? J'avais l'air d'avoir du «fun»: j'ai fait les bars, couru la galipote, mené joyeuse vie mais, dans mon arrière-pensée, je savais bien que j'avais laissé une femme et quatre enfants. Mais, réduit à l'esclavage, une seule chose comptait pour moi... boire... boire et encore boire. À l'âge de 50 ans, j'étais devenu une véritable loque humaine et aucune puissance au monde n'aurait pu m'atteindre. Même l'alcool ne me soulageait plus.»

C'était la fin, ce fameux bas-fonds dont plusieurs alcooliques parlent. D'autres qui n'en parlent pas sont, ou bien incarcérés, internés, ou y ont laissé leur peau. Heureusement que Jean-François a eu l'idée de contacter les A.A. pour demander de l'aide. Ces gens au grand coeur l'ont hébergé une dizaine de jours, dix jours atroces de sevrage d'alcool et de médicaments pendant lesquels il n'a pu manger, a vomi, a été agité de tremblements convulsifs, a fait du delirium tremens. Bref, ce fut atroce, mais il est passé à travers. Il y a sept ans de cela et, depuis, Jean-François n'a pas pris un seul verre. Mieux encore, il n'a plus besoin de psychiatres ni de médicaments. Mais ce n'est pas pour autant le bonheur total.

«En dégrisant, j'ai réalisé, atterré, tout le mal que j'avais fait autour de moi. Mes enfants... mes pauvres enfants... Qu'avais-je fait? J'ai su qu'ils avaient été séparés, dispersés, placés — comme moi — dans des foyers nourriciers d'où ils sont sortis traumatisés eux aussi. Mon ex-épouse, malgré sa bonne volonté, n'avait pu voir au bien-être de tous. J'atterrissais pour constater que la condition physique de mon aîné s'était détériorée: sa condition cardiaque le rendait pratiquement invalide. Un des jumeaux, le garçon, était atteint de la maladie d'Hotchkins, une forme de cancer. Quant à sa jumelle, elle était dépressive et agitée de tremblements nerveux, récupérant difficilement de son enfance malheureuse. Et pour couronner le tout, je voyais glisser ma fille aînée dans la toxicomanie. Imaginez, le grand fou que j'étais, arriver là-dedans, les baguettes en l'air, autoritaire, voulant tout redresser, donnant des ordres. Je voulais mettre tout le monde au pas, comme dans l'armée! Mes enfants m'ont reçu gentiment mais ils m'ont dit: «Papa, ça fait plus de 15 ans que tu es absent, alors ne viens pas t'en mêler maintenant. Tout ce que nous te demandons, c'est de nous aimer.»

«J'ai compris le message; il était grand temps que je voie à l'essentiel, que je m'occupe de moi. Ça n'a pas été facile. Ma santé physique était chancelante, ma santé mentale à l'avenant. Je vivais dans un taudis, sans économies, sans compagne. Bref, rien n'allait plus. Mes patrons ont cependant été assez humains pour me faire confiance, même si je leur en avais fait voir de toutes les couleurs. Je les en remercie. Petit à petit, la sobriété s'installait mais pas nécessairement le bonheur. Je sais pourquoi: même si j'avais cessé de boire, je ne m'attaquais pas aux racines du mal.»

«Malgré tout, j'avais le plaisir de visiter ma famille et de faire connaissance avec mes petits-enfants. Graduellement, nous nous sommes apprivoisés les uns les autres et, de fil en aiguille, j'ai remonté la côte. J'aurais tellement aimé que mes enfants se jettent dans mes bras, mais j'oubliais le mur que j'avais moi-même dressé entre nous pendant des années de beuveries. C'était décourageant, mais mes amis me disaient: «Persiste, ne prends pas ton premier verre, laisse le temps au temps...» C'est ainsi qu'aidé, encouragé (soutien qui m'avait manqué toute ma vie), j'ai progressé lentement mais sûrement.»

Après quatre ans d'efforts, Jean-François trouve la vie ennuyeuse et sans intérêt. Il se demande ce qui ne va pas. Le spleen, un vague-à-l'âme indéfinissable, l'accompagne partout et il confie un jour ce malaise à une alcoolique rétablie. Bien dans sa peau, elle avait des amis, une vie sociale, un métier intéressant. Jean-François s'est ouvert et elle lui a donné l'heure d'aplomb. «Elle m'a fait comprendre que, si j'avais bien reconnu mon impuissance devant l'alcool, il me restait maintenant à admettre que j'avais perdu la maîtrise de ma vie entière. Choqué, j'ai raccroché le téléphone en me promettant bien de ne plus jamais lui reparler. Pour qui se prenait-elle? Toutefois, ses paroles me poursuivaient... Je n'ai pu m'empêcher de la rappeler. Il est vrai qu'elle avait également de fort belles jambes, des yeux rieurs, une personnalité séduisante. Pour ne rien cacher, elle était loin de me laisser indifférent.»

«Nous sommes devenus bons amis, causant de tout et de rien, partageant divers points de vue, discutant de choses et d'autres pour finalement constater que nous étions amoureux. Fier comme Artaban, je l'ai présentée aux membres de ma famille et ce fut le coup de foudre, de part et d'autre. Mes enfants, mes petits-enfants (il y en a maintenant cinq) même mon ex-épouse... tout le monde est tombé en amour avec elle et, en peu de temps, elle est devenue la soeur aînée, l'amie, la confidente de mes filles. Comme, de son côté, elle n'avait jamais eu de vraie vie familiale, la situation fut épanouissante pour elle aussi.»

«Pendant deux ans et demi, nous avons tout partagé: peines, joies, naissances, deuils. Elle était à mes côtés le jour où j'ai fermé les yeux de mon fils aîné, Bernard, décédé prématurément à l'âge de 30 ans. J'ai au moins la satisfaction de me dire qu'il a vu son père se tenir debout avant de mourir. Depuis, ma famille a grandement évolué et je suis fier de mes enfants. Sans m'attribuer trop de mérite, j'ai quand même eu un rôle à jouer. Par exemple, ma fille dépressive a dit un jour à mon amie: «Je n'en reviens pas de voir comment papa a évolué, s'est amélioré. S'il a été capable de changer à ce point, alors moi aussi je vais y arriver.» Dois-je dire que j'ai eu les larmes aux yeux quand je l'ai appris? Depuis, cette fille dont je m'inquiétais tant, s'est prise en main et va beaucoup mieux. Son frère jumeau voit à sa santé et il remonte la côte tandis que l'aînée a changé du tout au tout pour devenir une très sérieuse mère de famille. Plus important, nous échangeons tous beaucoup d'amour.»

La voix de Jean-François tremble d'orgueil et de fierté lorsqu'il parle de ses enfants qui, courageusement, malgré leurs traumatismes passés, s'affairent à rebâtir leur vie. Une belle vie non seulement pour eux, mais pour leurs enfants. Ceci fait *happy ending* à la Hollywood, mais tout n'est pas dit.

Jean-François n'a pas encore réussi à régler de graves problèmes d'affectivité, ce qui s'avère un redoutable défi pour tous.

«Ma relation avec cette femme que j'aimais tant a commencé à se détériorer. Sans trop comprendre pourquoi, nous nous sommes éloignés progressivement l'un de l'autre. Ce fut la séparation. Il y eut tentative de réconciliation, soldée par un autre échec et, pourtant, il y avait de l'amour... Que s'est-il passé? Il y a tellement de défauts, de blocages, de déficiences, de part et d'autre; elle aussi a eu une enfance épouvantable. Malgré tout, je demeure convaincu que nous sommes faits l'un pour l'autre: nos âges concordent, nous sommes originaires de la même ville, tous deux alcooliques, des éclopés de la vie: alors nous nous comprenons. Je tente de la persuader que l'amour est plus fort que tout et qu'il y a de l'espoir pour nous. Et si, un jour, nous pouvons en arriver à refaire notre vie ensemble, nous serons alors en mesure, elle et moi, d'offrir à mes enfants la famille que j'ai toujours rêvé de leur donner, une vraie famille fonctionnelle.»

Chapitre IV

CONFIDENCES

Quel que soit le problème que
vous ayez à résoudre aujourd'hui,
il comporte une solution car vous n'avez à vous
occuper de rien d'autre que de vos propres pensées.

Emmet Fox

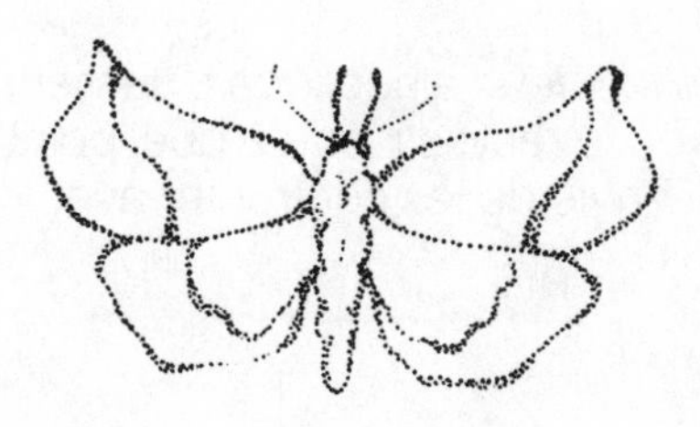

Au cours de ma carrière de journaliste, j'ai eu l'occasion de faire de nombreux reportages sur les victimes de diverses formes de toxicomanie dans divers magazines. J'ai toujours eu à coeur de faire de l'information publique sur ce sujet et cela a généré une avalanche de lettres et d'appels téléphoniques de la part d'alcooliques ou de personnes souffrant d'assuétude aux psychotropes.

J'ai également reçu un imposant courrier en tant que rédactrice en chef du journal officiel des Pavillons du Nouveau Point de Vue, inc.* Au fil des années, mes contacts personnels avec des alcooliques en voie de rétablissement m'ont amenée à rencontrer les membres de leur famille et c'est ainsi que j'ai appris à écouter. On se confie facilement à moi et maintes fois j'ai eu l'occasion de consoler, aider, expliquer et réconforter.

Face à certains S.O.S. pathétiques, je me suis sentie bien souvent démunie et je n'ai jamais eu la prétention de posséder toutes les solutions. Non, je n'ai pas de diplôme universitaire, mais une expérience humaine durement acquise et j'offre un coeur compatissant.

Je veux ici rendre hommage à tous les A.N.P.A. qui, courageusement, essaient de rebâtir leur vie. Persévérez: le seul échec, c'est de ne pas essayer! Ces A.N.P.A. pathétiques, vous en rencontrerez quelques-uns dans ce chapitre fondé sur un échange de correspondance entre les victimes et moi-même.

CONFRONTATION

Chère Yolande,

Mes parents sont tous les deux alcooliques. Je viens de commencer une thérapie de groupe où je réalise jusqu'à quel point je suis en colère contre mes parents. J'ai envie de les confronter avec tout ce que je découvre. Dois-je me retenir?

Jean-Paul

Cher Jean-Paul,

Un instant! En thérapie de groupe, un intervenant guide et temporise. On vous appuie pendant que vous ventilez vos émotions. Est-ce que vos parents sont en état de recevoir une forte décharge émotive? Le désirent-ils? Je comprends votre désir de vous défouler, mais est-ce que ça va améliorer ou empirer les relations familiales? Si vous jugez que c'est réellement thérapeutique, pour vous et vos parents, d'avoir une bonne discussion (pas nécessairement une confrontation) alors, allez-y!

* Centre de traitement pour alcooliques et toxicomanes.

Vous pourriez auparavant faire sortir la vapeur en exprimant votre rage sur une feuille de papier que vous détruirez pas la suite, sans l'avoir relue. Soyez réaliste dans vos attentes; vous n'arriverez sans doute pas à établir le dialogue souhaité, surtout si vos parents boivent encore.

UNE GRANDE SOEUR INQUIÈTE

Chère Yolande,

J'ai 24 ans et ne vis plus à la maison depuis des années. Mes deux jeunes soeurs, âgées de 13 et 15 ans, commencent à réaliser que quelque chose ne va pas avec notre mère. Cette dernière est alcoolique. Devrais-je leur dire la vérité? Mon frère aîné me recommande de me mêler de mes affaires.

Lucie

Chère Lucie,

Je vous félicite pour votre sens des responsabilités, mais vous suggère d'éviter surtout de devenir victime du syndrome du sauveur. Vos préoccupations m'indiquent que vous avez beaucoup souffert de l'alcoolisme de votre mère. Vos soeurs ne veulent pas voir la gravité de la situation et c'est normal. Cependant, la seule et unique façon de régler un problème, c'est d'y faire face. Oui, parlez à vos petites soeurs; elles ont besoin d'aide.

PEUR DE PLAIRE

Chère Yolande,

Ça peut sembler étrange comme question mais à chaque fois qu'on me fait un compliment, je me sens comme une adolescente: j'ai honte et ne sais que dire. Pourtant j'ai 29 ans. Qu'est-ce que ça signifie? Serait-ce relié au fait que ma mère est une dépressive bourrée de médicaments?

Lina

Chère Lina,

Votre question n'est pas étrange du tout, et se pose fréquemment chez les A.N.P.A. Tout ceci est relié à la piètre perception que vous avez de vous-même. Votre mère n'étant pas en état de vous valoriser,

votre estime de vous-même fait défaut et vous doutez, à tort, de la véracité des compliments. De plus, vous craignez de ne pas en être à la hauteur, puisque vous vous sentez inadéquate face aux attentes des autres. On vous en demande probablement beaucoup trop depuis votre petite enfance.

Un compliment peut également être relié, dans votre subconscient, à des événements désagréables. Je reçois de nombreuses lettres d'enfants d'alcooliques qui, devenus adultes, réalisent avec colère que les seules louanges reçues dans leur jeunesse étaient associées à diverses formes d'abus sexuels. Une sensation de honte accompagne par la suite les éloges même mérités. Ne minimisez pas votre réaction révélatrice d'un problème non résolu.

UNE VEUVE DU HOCKEY

Chère Yolande,

Mon mari est un véritable drogué de la télévision, du hockey, de la pizza, du billard et des parties de pêche. Je me sens aussi négligée qu'une femme d'alcoolique. Que faire?

Louisette

Chère Louisette,

Je me demande si vous désirez réellement connaître ma réponse. J'ai l'impression que vous vous la donnez vous-même, en posant la question! Est-ce votre mari qui a besoin de changer... ou la nature de votre relation avec lui? Vous êtes-vous demandé pourquoi il s'intéresse à tant d'autres choses qu'à vous? En supposant que ses loisirs le passionnent moins, est-ce que ça améliorerait automatiquement la qualité de votre vie conjugale? Il serait peut-être judicieux, dans un premier temps, d'inventorier ce qu'il faut améliorer chez vous car c'est peut-être votre attitude qui provoque la sienne. Ensuite, si son comportement ne change pas (laissez-lui un peu de temps), une bonne explication s'impose; cela vous permettra d'exprimer vos besoins.

IDÉES SUICIDAIRES

Chère Yolande,

Je suis un fils d'alcoolique, moi-même alcoolique et cocaïnomane. Abstinent depuis six mois, je me porte relativement bien. Il m'arrive cependant de lire dans les journaux que de nombreux adolescents se suicident et ça me fait peur. Chaque fois que j'entends parler de cela, l'idée me passe toujours par la tête qu'au pire des pires, ce serait une bonne solution pour moi. En fait, cette idée revient assez souvent et ça commence à m'inquiéter.

Louis

Cher Louis,

Félicitations. Vous faites une remarquable démarche qui, avec le temps, vous ouvrira les portes du bonheur. Le taux élevé de suicide chez les adolescents en inquiète plusieurs et les enfants d'alcooliques sont de bons candidats. Très jeune, vous n'avez appris qu'à vous auto-détruire, ce qui s'est concrétisé par une forte consommation d'alcool et de «coke». Mais le simple fait d'avoir délaissé ces béquilles n'a pas suffi à effacer vos cassettes négatives puisqu'un rien suffit pour les déclencher. Sachez également que la cocaïne est un fort dépresseur du système nerveux central qui peut encore vous jouer de mauvais tours. Je vous suggère, pour vous aider dans votre reprogrammation, les mouvements C.A. (Cocaïne Anonyme) et N.A. (Narcomanes Anonymes), où vous trouverez sûrement un bon parrain à qui vous pourrez vous confier. Parlez...parlez...parlez...

UN GRAND-PÈRE EN IVRESSE MENTALE

Chère Yolande,

Mon père ne boit plus depuis un an. Ça ne l'empêche pas d'avoir un comportement irrationnel. Je veux bien être tolérante mais j'ai un fils de quatre ans et n'ai pas envie de l'exposer aux humeurs changeantes de son grand-père. Par contre, je ne voudrais pas faire de peine à mon père qui fait de beaux efforts. Que dois-je faire?

Catherine

Chère Catherine,

En général, les grands-parents ont une relation très différente avec leurs petits-enfants. Vous n'avez probablement pas encore tout à fait oublié le comportement de votre père quand il buvait et faites de la projection sur votre fils. Priver votre père de son petit-fils ne serait-il pas une façon indirecte de le punir pour ses erreurs passées? N'oubliez pas qu'en agissant ainsi vous pénaliseriez également l'enfant. Votre père est-il dur, colérique? Risque-t-il de blesser votre fils? Si ce n'est pas le cas, il n'y a aucune raison de les priver l'un de l'autre mais, diplomatiquement, organisez-vous pour être toujours présente. Avec le temps, votre père continuera à s'améliorer; votre attitude accueillante et l'amour de son petit-fils seront pour lui de précieux facteurs de rétablissement.

PAR SA FAUTE

Chère Yolande,

Âgé de 24 ans, je passe beaucoup de temps au gymnase, pour faire de la culture physique. Ça fait trois petites amies qui me quittent à cause de cela. Elles prétendent que je passe plus de temps à me regarder dans le miroir qu'à les regarder elles. C'est vrai que j'aime assez m'habiller, être bien coiffé, avoir de beaux muscles, mais quel mal y a-t-il à cela? Ça fait du bien car chez nous la pauvreté régnait (papa buvait toute sa paye) et j'étais toujours en guenilles.

Mike

Cher Mike,

Vous avez évidemment beaucoup souffert d'avoir été mal habillé et probablement fait rire de vous à cause de cela mais là, en bon enfant d'alcoolique, vous tombez dans l'excès contraire. Puisque ça fait trois femmes que vous perdez à cause du gymnase, quelque chose ne va pas. Je pense que ce n'est pas tellement une question de gymnase mais plutôt d'attitude de votre part. Vous accordez sûrement plus d'importance à votre look qu'à celui de vos petites amies. Si vous êtes capable de vous arracher de votre miroir pour aller dans le dictionnaire Robert, regardez donc la définition du mot narcissisme: «Contemplation de soi; attention exclusive portée à soi.» La légende veut que Narcisse, s'admirant dans l'eau d'une fontaine, soit tombé amoureux de sa propre image et, incapable de voir autre chose, il en est mort.

PEUR DE FAIRE MAL

Chère Yolande,

Comment se sortir d'une relation amoureuse? Je sens le besoin de vivre seule pour un certain temps mais j'ai tellement peur de faire mal à mon chum que je n'arrive pas à le lui dire. Que me conseillez-vous?

Maryse, 34 ans

Chère Maryse,

Vous êtes-vous jamais demandé pourquoi vous êtes terrorisée à

l'idée de faire mal à quelqu'un? En bonne enfant d'alcoolique (je présume que vous en êtes une puisque vous m'écrivez) vous vous préoccupez plus du bien-être des autres que du vôtre. Il vous faudra éventuellement faire face à la réalité et dire à votre ami que vous avez besoin de temps pour vous. Il est possible de se séparer en douceur mais avec fermeté. Ultimement, il sera beaucoup plus négatif et destructeur pour les deux d'étirer une relation qui ne mène nulle part. Est-ce cela que vous voulez? Dans le fond, la question à laquelle VOUS devez répondre est: «Si j'ai le choix entre le faire souffrir lui ou souffrir moi, QUI vais-je choisir?»

JE SUIS INTERNÉ

Chère Yolande,

Ça fait quatre ans que je suis en psychothérapie mais mon état empire tout le temps. En fait, je vous écris de Douglas* où je suis interné depuis six mois, mais je ne vais toujours pas mieux. Pourtant, j'ai tout fait pour aider ma mère alcoolique. Que d'efforts j'ai investis pour qu'elle change et, aujourd'hui, je la hais tellement parce que je sais qu'elle est responsable de ma maladie. J'avais beau lui dire qu'elle devait changer ses attitudes, son comportement, rien à faire! Dans le fond, quand elle vient me visiter et pleure, j'en suis content. Elle m'a détruit; alors, qu'elle paye!

René

Pauvre René,

Pas étonnant que vous soyez interné; il est clair que vous avez perdu la raison. Vous me dites que, depuis des années, vous avez tout fait pour changer le comportement de votre mère. Mais qu'avez-vous fait pour vous changer? Vous ne sortirez pas de sitôt de votre aile psychiatrique et j'irai plus loin en avançant que vous prenez un plaisir sadique à punir votre mère. Le problème, c'est que vous ne réalisez même pas que vous vous détruisez vous-même et je ne souhaite qu'une chose: que vous en arriviez à comprendre que votre mère est malade et qu'il vous faut investir des efforts dans votre rétablissement et non... dans le sien!

UN PÈRE IRRESPONSABLE

Chère Yolande,

Mon père a laissé tomber maman, en me laissant moi, l'aînée, en charge non seulement de mes frères et soeurs mais de ma mère. Aujourd'hui,

* Centre psychiatrique important de la région de Montréal.

je ne regrette pas ce que j'ai fait pour eux mais je suis fatiguée de voir que la majorité des gens qui m'approchent le font pour me parler de leurs problèmes. J'aime bien mes amis et ne veux pas les décevoir, mais...

Linda

Chère Linda,

Vous savez, comme je le sais, que vous n'avez pas à servir de poubelle à tout le monde. Le problème, c'est que vous ignorez comment vous sortir de cette vocation. Avouez que vous avez vous-même conditionné votre entourage. La question qui se pose est donc de savoir comment changer vos attitudes sans nécessairement perdre vos amis. Ça ne sera pas facile car vous avez encouragé des gens dépendants à s'accrocher à vous et, si vous refusez de jouer le jeu de la femme forte ou de confesseur, il est fort possible qu'ils se cherchent un autre chien Saint-Bernard.

Tant mieux! Ceci vous permettra de voir jusqu'à quel point vous ne savez pas vous entourer. Il n'est pas obligatoire cependant de créer le vide autour de vous. Ce que vous pouvez faire, c'est d'inverser les rôles en vous confiant aux autres après leur avoir prêté l'oreille. Au lieu de leur dire: «Je ne veux plus t'écouter, je n'ai pas de temps pour toi», ce qui risque de les froisser ou les blesser, il est plus diplomate de dire: «Bien sûr que je vais t'écouter, mais à la condition que tu m'accordes du temps toi aussi.» Ceux qui acceptent cette interaction sont de vrais amis. Les autres? Qu'ils aillent vampirer ailleurs.

COUPABLE OU NON COUPABLE

Chère Yolande,

J'ai quitté le foyer paternel depuis quelques mois. Âgé de 25 ans, je me demande si j'ai le droit d'abandonner ma mère à son sort car papa est toujours ivre. Chaque fois que je vais à la maison, il m'engueule. Alors, j'ai envie de les laisser tomber tous les deux, mais je me sens coupable.

Éric

Cher Éric

Vous avez tout à fait raison de vouloir vivre dans un environnement sain; ceci signifie que vous vous respectez. Si votre mère a décidé de rester avec votre père, c'est son choix à elle; ce n'est pas à vous de l'assumer. Rien ne vous empêche de la rencontrer chez vous ou dans un bon restaurant, ce qui évitera d'inutiles engueulades avec votre père. Par contre, ces invitations ne devraient pas être fondées sur le fait que vous vous sentez coupable.

FRIGIDE

Chère Yolande,

J'ai bu pendant 20 ans sans arrêt pour oublier tous les sévices subis dans un foyer où la mère était alcoolique. Pendant ma période active, j'ai souvent été *black out* et me suis réveillée dans de drôles d'endroits avec du drôle de monde et vous avez compris que je veux parler ici de promiscuité sexuelle. Ça fait quatre ans que je ne bois plus, mais des images obscènes reviennent en flash et mon écoeurement de moi-même est grand. Avec tout ça, je me retrouve complètement frigide et incapable d'avoir une relation normale avec un homme. Pourtant j'ai besoin d'amour et de tendresse comme tout le monde. Est-ce qu'il y a de l'espoir pour moi? Tant qu'à souffrir de solitude à ce point, je serais aussi bien de retourner boire.

Yolaine

Chère Yolaine,

Vous traversez une période difficile car vous dégelez et les images négatives du passé sont encore présentes. Donnez-vous du temps, ça s'arrange! Si vous ne vous sentez pas prête à vivre votre sexualité, laissez mûrir les choses, apprenez à vous aimer et à vous débarrasser de la culpabilité qui vous étouffe. Je sais, vous vous sentez *cheap*, mais n'oubliez pas que c'est l'alcool qui vous a fait agir ainsi. Je suis certaine que, dans le fin fond de vous-même, sommeille une belle romantique qui ne demande qu'à s'exprimer. Gâtez-vous, faites-vous un bon cercle d'amis sûrs et songez qu'il y a de multiples façons autres que le sexe pour échanger de la tendresse. Graduellement, vous pourrez vous aussi vivre l'amour auquel vous avez droit.

MÈRE COUVEUSE

Chère Yolande,

Mon fils âgé de 17 ans se drogue, j'en suis certaine. Pourtant son père et moi ne prenons ni boisson (sauf socialement), ni médicaments ou drogues et je pense que nous sommes assez bien équilibrés. Par contre, son grand-père paternel était alcoolique. Nous avons tout donné à cet enfant: amour, soins, attention.

Il n'a manqué de rien. L'autre jour il manquait de l'argent dans les poches de son père et j'ai menti, j'ai dit à mon mari que c'était moi que en avais pris sans l'avertir parce qu'il dormait. Quelques bijoux ont également disparu, mais je ne puis tout de même pas mettre mon fils dehors. Que faire?

Solange

Chère Solange,

Si je lis entre les lignes, votre mari, fils d'alcoolique, a de la difficulté à manifester l'amour qu'il a pour son fils et même pour vous. Vous avez donc, en mère modèle, tenté de compenser et avez tellement aimé votre fils que vous lui nuisez... sans le vouloir... sans le savoir. Vous en êtes rendue à devenir complice, à l'aider à se droguer. Pourquoi mentir pour le cacher? Pourquoi l'encourager dans sa dépendance? Vous ne me dites pas si le dialogue est bon avec votre fils. J'ai la conviction que non, que tout est silence et cachettes entre vous. Votre fils a évidemment besoin d'aide et vous avez besoin d'aide! La première chose à faire, c'est de prévenir votre fils que nous ne ferez plus rien pour le couvrir et que vous irez même jusqu'à alerter la police en cas de vol d'objets ou d'argent. Son statut de drogué ne le met pas au-dessus des lois. Toutefois assurez-le de votre amour.

Je me pose des questions sur la qualité de votre relation avec votre mari. Pourquoi le tenir en dehors de ce qui se passe à la maison? Il s'agit de son fils à lui aussi. Se peut-il que vous teniez tellement à le couver que.... Je vous suggère d'offrir une thérapie à votre fils, thérapie qu'il va probablement refuser s'il n'a pas encore atteint le fond du baril. Mais, au moins, l'offre sera là. Entre temps, consultez un thérapeute spécialisé en toxicomanie. Laissez-vous guider par un psychologue, allez dans des réunions des C.A. ou des N.A., histoire de voir de quoi il en retourne. En d'autres mots, laissez-vous aider et renseignez-vous sur le problème. Il y a également les groupes bénévoles de parents *Tough Love** qui pourraient sûrement vous donner un bon coup de main. De plus, il y a «Entre parents**» qui existe depuis quatre ans: structuré pour aider non seulement les adolescents, mais les familles monoparentales, les couples en détresse, etc. Il n'en coûte que 2$ par année pour être membre.

Nous avons tous à coeur d'aider nos enfants, mais comment faire? Renseignez-vous auprès de gens qui savent comment protéger les jeunes et aider les parents à prendre leurs responsabilités.

---

* Pour information: Laurentides (514) 437-6701 – Laval 270-8780 – Lanaudière 755-2111

** Téléphone (514) 329-1233

SAUVONS LE SAUVEUR

Chère Yolande,

Notre propriétaire tyrannise les locataires. Je vis dans un milieu pauvre et défavorisé. Il me semble que ce serait une bonne idée de fonder une association pour aider les locataires à faire face à cette situation. Mon amie me dit: «C'est bien toi, ça; tu veux encore sauver le monde!»

Benoît

Cher Benoît,

Votre désir d'aider est louable. Toutefois, avez-vous évalué ce qu'il vous faudra d'énergie, de démarches, de papiers, de réunions, de téléphones, etc. pour mettre ce projet en oeuvre? Votre temps et vos efforts ne seraient-ils pas mieux utilisés si vous entrepreniez de changer de milieu? Même si je suis la première à dénoncer l'égoïsme et l'égocentrisme, je prétends que la personne numéro un dont chacun est responsable dans la vie, c'est soi-même. Si nous oublions, le bon vieux dicton: «Charité bien ordonnée commence par soi-même», nous ne serons pas longtemps en mesure d'aider les autres. Je vous laisse peser le pour et le contre le plus honnêtement possible.

TABAGISME ET DÉPRESSION

Chère Yolande,

Je suis une étudiante âgée de 22 ans et je vis seule, loin de ma mère dont les parents étaient alcooliques. Du côté de mon père, il n'y avait pas de problème. Ça fait deux ou trois fois que j'essaie d'arrêter de fumer, tiens le coup un mois ou deux, mais l'état de dépression que je vis est tellement intolérable que je recommence. Je n'ai pas les moyens de me payer une psychothérapie mais je n'aime pas me sentir esclave car je sais que je nuis à ma santé.

Liliane

Chère Liliane,

Élevée par une A.N.P.A., vous avez hérité, comme votre mère du comportement alcoolique de vos grands-parents. Aujourd'hui, la cigarette arrive peut-être à aider, servir de béquille et atténuer vos états dépressifs. Que ferez-vous quand ça ne marchera plus? C'est ce qui arrive avec toutes les drogues, et la nicotine en est une, ne l'oubliez pas. Inutile de vous culpabiliser parce que votre volonté est défaillan-

te. Vous me dites que vous n'avez pas les moyens de vous payer une psychothérapie. Mais vous avez les moyens de fumer? C'est votre choix! Vous manquez de motivation, c'est clair. Comment en avoir? Je vous suggère de fréquenter des groupes de thérapie tels que les Déprimés Anonymes, d'améliorer votre vie intérieure ou spirituelle et d'y mettre de l'action, car votre dépression ne s'envolera pas en fumée. Étant donné que vous êtes un sujet à risque très élevé (petite-fille d'alcoolique), vous avez de fortes chances de graduer du tabac à l'alcool et à la cocaïne, à moins de vous prendre en main dès aujourd'hui. À vous de décider dès maintenant. Qui mène votre vie... les drogues ou Liliane?

JE CHERCHE LES ENNUIS

Chère Yolande,

Mes parents et mes grands-parents (des deux côtés) sont alcooliques. Âgé de 35 ans, je n'ai pas de problèmes de ce côté et suis même assez bien équilibré, je crois, compte tenu du fait que j'ai été élevé dans une maison de fous. Je me demande cependant pourquoi il y a comme un désir maladif en moi de me mettre dans des situations assez dangereuses, de rechercher les *kicks* et de me tenir, par exemple, avec des bandits notoires. J'ai déjà frôlé de graves ennuis judiciaires et cette tendance ne date pas d'hier puisqu'à l'âge de 15 ans, je piquais dans les grands magasins.

Xavier

Chez Xavier,

Ne croyez surtout pas que vous êtes bien équilibré: vous êtes ce que les Américains appellent un *adrenalin Junkie*. Tous les A.N.P.A. habitués à vivre dans des situations d'urgence ou de crise se sentent déprimés et anxieux, dès que la vie se présente sous un jour calme et sans problème. À leur insu, ils vont alors trouver une façon de se remettre dans le bain. Quand ils s'ennuient, ils font bouger les choses. Ils se disent: «Pourquoi pas? Après tout, on a bien le droit d'avoir des défis, de ne pas sombrer dans la routine!» Vous dites cela, mais avez-vous pensé que, de crise en crise, vous provoquez chez vous des poussées successives d'adrénaline? Vous dépensez énormément d'énergie, une énergie qui pourrait être canalisée en activités positives et excitantes: l'un n'empêche pas l'autre!

CRUAUTÉ MENTALE

Chère Yolande,

Je suis âgée de 12 ans et assez grassette. Mon père, qui boit beaucoup, me traite de cochonne et de gourmande chaque fois que je me mets à table. Je suis tellement nerveuse que je me cache pour manger. Résultat: j'en suis arrivée à outre-manger. Maman ne semble pas réaliser que je souffre et je ne sais plus quoi faire.

Mireille

Chère Mireille,

Pauvre chouette. Tout ceci doit être extrêmement pénible à vivre. Y a-t-il un professeur ou une infirmière à l'école qui pourrait t'écouter? Il faut parler à quelqu'un. Peut-être que le médecin de famille accepterait de t'aider, si tu te confiais à lui: il pourrait suggérer à ta mère des menus appropriés. Qui sait? Ça va peut-être la réveiller. Actuellement, le dialogue est impossible avec ton père, et ta mère semble dépassée par les événements. Elle n'a pas la force de t'aider. Alors il ne faut pas leur en vouloir. Mais organise-toi pour trouver du secours à l'extérieur, car tu en as besoin. Il y a des choses que tu ne peux pas changer et il te faudra accepter que, pour le moment, tes parents sont incapables de se prendre en main. Par contre, qui t'empêche de t'occuper de toi? Mets-y de l'action et tout ira bien. Je suis prête à parier que les autres membres de la famille auront envie de changer s'ils constatent que, toi, tu y arrives, que tu es belle et bien dans ta peau.

LA HAINE ET LE PARDON

Chère Yolande,

Vous avez déjà mentionné l'importance du pardon par rapport au parent alcoolique mais moi, je n'en suis pas capable. Chaque fois que je pense à mon père et à tout ce qu'il nous a fait souffrir, j'ai le goût de tuer.

Joe

Cher Joe,

J'ignore votre âge mais, de toute évidence, l'enfant blessé en vous n'est pas encore guéri. Tant que vous serez rempli de haine, de rage, de colère et de ressentiment, vous donnerez beaucoup de pouvoir à cet homme que vous détestez tant. Il faut vider le problème. Plusieurs solutions s'offrent à vous: le mouvement Al Anon peut vous apprendre à pratiquer le détachement émotif; les réunions E.A.D.A. (voir chapitre XI pour de plus amples renseignements) peuvent aider également, de même qu'une bonne psychothérapie. Dès que la haine cessera de bloquer vos vrais sentiments, vous constaterez qu'il y a, en vous, de la compassion face à la maladie de votre père. Dites-vous bien que ça ne le dérangera absolument pas si vous restez éveillé toute la nuit à le haïr; c'est vous seul qui serez fatigué le lendemain. Le processus du pardon est lent mais «ça se fait» et il débouche sur la liberté d'aimer.

UNE MÈRE ALCOOLIQUE

Chère Yolande,

Au secours! Ma mère boit de plus en plus et mon père, mes frères et moi-même faisons tout ce que nous pouvons pour l'arrêter: larmes, menaces, confrontations, silence, engueulades, manipulation, promesse, rien n'y fait. Nous ne savons plus à quel saint nous vouer. Des suggestions, s'il vous plaît.

Colette

Chère Colette,

Je ne sais pas ce que je donnerais pour avoir la solution-miracle à vous proposer; malheureusement, il n'y en a pas. Je sais, par expérience personnelle, que personne ne peut arrêter un alcoolique de surconsommer s'il ne veut pas cesser de boire. J'ai déjà parlé d'une terrible volonté déchaînée d'auto-destruction. Alors ne minimisez pas la difficulté. Tout ce que je puis vous suggérer, c'est de ne pas essayer de contrôler l'incontrôlable. Vous gaspillez toutes vos énergies à vouloir l'impossible. Si votre mère souffrait d'un cancer, vous accepteriez le fait qu'il n'y a rien à faire pour arrêter les progrès de la maladie. Tâchez de trouver le meilleur équilibre possible et de garder votre calme face à ce qui demeure une triste énigme pour vous tous. Rien ne vous empêche cependant de laisser traîner ça et là certains dépliants des A.A. Qui sait? Un moment donné, l'esprit peut s'ouvrir et le message atteint alors son but. Si vous êtes croyante, je vous suggère de prier.

ALCOOLIQUE ET HOMOSEXUEL

Chère Yolande,

Je suis alcoolique probablement parce que ma mère l'était; mais est-ce que ça explique également mon homosexualité?

Raymond

Cher Raymond,

La vie est faite de questions et nous n'avons pas toutes les réponses. Ce que vous soulevez est intéressant. Vous ne demandez pas: «Pourquoi suis-je en santé?»... «Pourquoi suis-je vivant?» Considérez-vous qu'il y a quelque chose d'anormal dans votre homosexualité? Je n'entrerai pas dans ce débat car les avis sont partagés sur cette question et je m'abstiens toujours de porter un jugement moral sur toute condition humaine, quelle qu'elle soit. Vous êtes alcoolique et homosexuel. Ça demande une double acceptation. Alors laissez-moi vous dire: «Je vous aime deux fois plus.»

Chapitre V

LA PAROLE EST AUX ENFANTS

Les grandes personnes ne comprennent jamais rien toutes seules, et c'est fatiguant, pour les enfants, de toujours et toujours leur donner des explications.

Le Petit Prince

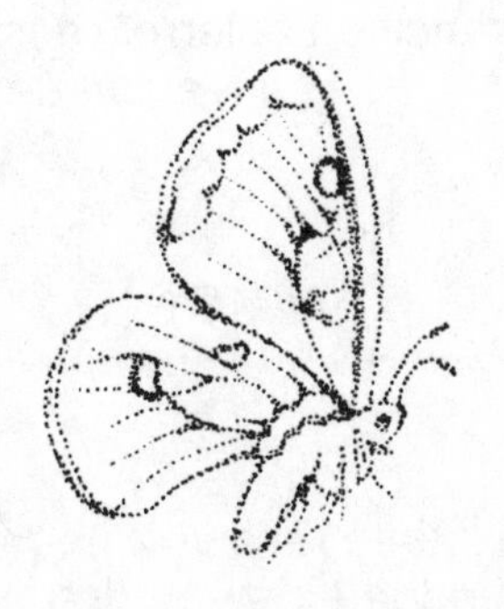

Il arrive malheureusement trop souvent que les enfants ne trouvent personne à qui se confier. Ils auront alors recours à des personnages qui représentent, pour eux, la bonté et la compréhension: le Père Noël ou le Capitaine Cosmos, par exemple.

Serait-ce les seules ressources que la société leur offre? J'ai frémi à la lecture de certaines lettres pathétiques. Pourquoi n'y aurait-il pas une «Tante Yolande» à la radio ou à la télévision qui saurait les écouter, les conseiller et les référer au bon endroit?

Pourquoi néglige-t-on les sans voix?

LETTRES AU PÈRE NOËL

C'est un Père Noël heureux, mais débordé de travail, qui s'est présenté, en 1978, à la Maison de la Poste située à Montréal.

Il avait reçu des sacs et des sacs de courrier provenant de petits enfants, et même d'adultes, à l'occasion de la fête de Noël.

Ses lutins étaient tellement affairés à fabriquer les jouets, que le sympathique personnage a songé aux employés de la Société canadienne des postes pour l'aider à répondre à son volumineux courrier international.

Sans hésiter, ces derniers acceptèrent avec complicité cette mission très spéciale. Mais les messagers découvrirent que tous les enfants ne sont pas nécessairement heureux et que plusieurs vivent des situations dramatiques...

Francine Lapierre*, gestionnaire
La Maison de la Poste

Cher, Père Noël

Joyeux noel père noel

Je ma pel Valérie age 6½ père noel j'aime rai a voir un papa pour noel car Je net pa de papa aussi des cadeau. Je vou drai un radiau av ec des oreilles.

---

* La Société canadienne des postes tient à préciser que la confidentialité du courrier a été respectée.
J'ai également respecté l'authenticité du langage écrit des enfants en n'apportant aucune correction à l'orthographe ou à la ponctuation.

Je vous drai que maman cesse de pleuré ché nous se nes pas comme les autre père noel je vous attant la nuit de Noel.

Je suit sage merci

Valérie

Père Noël,

J'ai une soeur et deux frères mais j'ai pas d'ami parce que on a jamais de visite parce que mon père est alcoolique. Je pleure souvent. J'espère que Noël cette année sera pas comme l'année dernière quand papa est tombé dans notre beau sapin et l'a tout cassé. Je voudrais avoir un hélicoptère et un G.I. Joe.

Stéphane

Cher Père Noël,

J'ai 7 ans, et quand maman était près de moi, elle m'achetais beaucoup de cadeau à Noël. C'est ma grand-mère qui me garde car ma maman buvais trop et le juge a dis que c'était grand-maman qui prendrait soin de moi. Ma grand-maman elle vit sur le Béesse et a pas beaucoup d'argent. Je mennui de ma maman même si ma grand-maman est très gentille. Donne un beau bec à la fée des étoiles pour mon père car il est en prison ça va lui faire plaisir. J'attend ta lettre. Merci.

Johanne

Bonjour père noël,

Y a-t-il des pères noëls qui apporte des camions pas brisé?

Jacquot

Cher Père Noël,

Je m'appelle Mélanie, j'ai 7 ans ½. Aujourd'hui bon père Noël je te demande le plus beau des cadeaux qu'une petite fille souhaite, c'est de faire guérir mon papa. Il est très malade à l'hôpital. Maman n'est pas toujours gentille avec lui. Elle voudrait tout avoir et rien faire et quand mon papa lui donne ce qu'elle veut elle n'en veut plus.

Mais rassure-toi, je suis pas comme maman. Si tu donnes la santé à papa je vais la garder pour lui.

En plus, maman sors souvent le soir avec un autre homme. J'ai beaucoup de peine bon père Noël. Faite guérire papa et que l'amour revienne a la maison.

Merci bon père noël,
Mélanie

Père Noël,

J'aimerais un cadeau spécial. Que tu demandes à la fée des étoiles d'envoyer une étoile d'amour dans le coeur de mon papa qui m'a oublié. Ça fait mon troisième Noël qu'il ne vient pas m'embrasser. Je t'envoie son adresse pour qu'il recoive son étoile d'amour. Comme je suis trop petit (4 ans) c'est ma grand-maman qui écrit la lettre pour moi. Je t'embrasse très fort,

Sébastien

Père noël,

Pour noël j'aimerais recevoir des poupées boudechou et criquete. J'ai beaucoup de problème maintenant. Ma mère bois alchool pendant quelle conduit sa voiture. Joyeux noël et bonne année.

Josée

Cher père noël,

Tu te souvien l'année dernière je t'ai écrit parce que mon papa avait mis ma maman et moi dehors en plein milieu du moi de janvier. On a eu de la misère a se trouvé un apartement pas cher mais maintenant on es bien même si des fois j'ai fain. Mon papa vient a tous les soirs mais il aporte jamais de linge. Des fois il aporte une pinte de lait et 6 bières pour lui et il fume son join. Je te demande père noël du mangé pour noël et le jour de l'an car maman n'es pas riche. Si c'est possible, un petit jouet pour moi, n'importe quel.

Jean

Papa Noël,

Je suis trop petit pour t'écrire, j'ai 4 ans, c'est ma gardienne Valérie qui t'écrit pour moi. Je veux savoir pourquoi tu ne veux pas que je tire sur ta barbe et pourquoi ma maman ne reste pas avec nous autres et nous fait toujours garder. Elle s'en va toujours et mon papa il a jamais le temps de jouer avec moi.

Je voudrais des crayons de cire et un bateau pour jouer dans l'eau.

Merci papa Noël,
Antoine

Père Noël que j'aime,

Comment vas-tu? C'est la 1ère fois que je t'écris, j'ai besoin de parler à quelqu'un. J'aimerais parler à mon père et lui dire ce que je pense. Je le vois rarement il ne vient pas souvent à la maison. Il dit qu'il m'aime mais je ne le crois pas. Il est bête avec moi. J'ai déjà failli m'enfuir de la maison à cause de ma demie-soeur qui est bête elle aussi. Comme je regrette de ne pas l'avoir fait. Ici on ne fête jamais Noël. Pas de réveillon, pas de cadeaux et surtout pas d'amour. Je préférerais ne rien avoir mais au moins un peu d'amour. Ne serais-ce qu'une fois par année. J'ai un grand besoin de réconfort, je sens que je vais craquer, aide-moi.

Mariette, 12 ans.

Père noël,

Vous qui croyez au bon Dieu faites une prière pour que ma maman ne se drogue plus.

Pierrot

Père Noël,

J'ai 7 ans.
Je suis en deuxième année.
Je suis toute seule à la maison.
J'ai peur.
Ma gardienne es pas là ma maman non plus.
Elle est pas là souvent. Mon papa est parti j'ai pas de frère ni soeur ni télévision.

C'est platte.
Comme c'est toi qui remplace mon papa veux-tu me donner une télévision et des jouets.

Mireille

Cher père noël

Je m'appelle Jean-Yves, j'ai 10 ans. J'ai une soeur Monique 8 ans et un frère Emile 5 ans.

J'ai 2 maisons, celle de papa et celle de maman. J'ai de la misère à m'habituer.

J'ai beaucoup de jouets chez papa, rien chez maman.

Je suis pas encore abitué à mes deux maison.

J'aimerais mieux ça avoir une seule maison même si ma mère elle dort tout le temps à cause de ses pilules.

Pourrais-tu m'envoyer des cadeaux de Noël chez elle s.v.p.

Jean-Yves

Bonjour père Noël je suis très triste. La raison cest que maman ne travaille pas et quelle est assistés sociaux et quelle ne peut même pas nous acheté des jouets encore la nous ne sommes pas sur que toi père Noël tu es assez gentil pour nous apporté du pain et du lait à maman parce quelle en auras pas à Noël.

Père Noël jespère que tu existe vraiment car ces pas lfun de passé des noëls comme nous les passons depuis que papa est parti. J'espère que tu as pas trop froid au pôle nord.

François

Père Noël je voudrais que la giquane arrête à la maison.

Denise

À toi Père Noël,

Tu ne dois pas recevoir beaucoup de lettres d'adulte mais j'ai besoin de parler à quelqu'un. Je me demande si j'aurai le courage d'affronter Noël et voir ma fille et lui donner l'amour dont elle a besoin car je me demande c'est quoi aimer.

Un être découragé

LETTRES AU CAPITAINE COSMOS

Récemment, j'assistais à une causerie de Claude Steben qui, reprenant son personnage du Capitaine Cosmos, effectuait une tournée de conférences dans les écoles du Québec, pour sensibiliser les jeunes aux dangers de la toxicomanie. Bravo pour cette belle initiative financée, en partie, par la Maison Jean-Lapointe et divers clubs sociaux. Le message du Capitaine Cosmos intitulé «LA FORCE DE

DIRE NON À LA DROGUE» s'adresse aux jeunes de quatrième, cinquième et sixième année... ainsi qu'aux parents assez intéressés pour y assister. On invite les enfants à écrire en toute confidentialité au Capitaine. Inutile de préciser que, comme pour les lettres au Père Noël, toutes les mesures utiles ont été prises pour assurer l'anonymat des signataires.

Dois-je dire que j'ai été bouleversée à la lecture de pareils documents. Dans tout ce que j'ai lu, il m'a fallu faire un tri. Sans vouloir minimiser la gravité du problème, j'ai choisi de ne pas présenter le pire pour éviter de me faire accuser de sensationnalisme. Je pense que l'échantillonnage suivant est très représentatif de ce que vivent trop d'enfants au Québec.

Bonjour Capitaine Cosmos,

Je suis en 4e B et j'ai fait de la drogue moi aussi, Je veut te raconter une histoire que j'ai vécu et ma mère aussi. Un jour que mon frère avait 16 ans ma mère lui a dit de faire attention à la drogue. Mais à 18 ans il a été en faire et un jour il est parti habiter avec 2 amis. Quand il est parti il était 10h00 et il est disparut et il revenait jamais. Nous ne savions pas qu'il était disparut le soir même le... 1988. Le lendemain on la trouver mort en bat du pont Jaque Cartier. On a été à la morgue le voir et il était lait plain de sant il re semblait à un vempire. Quan on na été à l'exposition, il était comme neuf et moi je pleurais ma mère aussi. Il faut avouer que cette histoire est bien triste et terrible capitaine et merci encore.

Mimi, Boucherville

Cher capitaine Cosmos,

Je suis malheureux chez moi parce que mon père fume des cigarettes bizarres et il se soulais a chaque soir. Ma mère c'est tannée alors elle a décidé de ce divorcé. Moi je n'ai pas aimer le divorce et depuis se temps là ma mère est sévère avec nous. Et je suis malheureux.

Larry, 4e année

Capitaine,

Moi j'ai de sérieux problèmes et à chaque fois qu'on parle de Drogue cela ma fait penser à ma soeur car ma soeur en prend et cela me fait de la peine même qu'elle a tenté de se suicider. Capitaine aidez-moi et aidez ma mère aussi.

Sylvie, 5eA

Chère Marie-Hélène *

Vers le début de l'année, il y avait des gars qui m'aimait. Et ses gars là avait l'air bien gentil. Mais au contraire la première fois que je me suis tenue avec eux ils mont offert de la colle et du liquid paper. Mais je refusais tout le temps. Un jour, je me suis dit «pourquoi pas?» La colle ça fesait juste faire un drôle de bruit très fort et le liquid paper ça m'étourdissait complètement et je niaisais le monde je donnais des becs à n'importe qui e.t.c.

Après je n'arrêtais plus d'en prendre. En tout j'en ai pris à peu près 25 fois. Un jour j'ai décidé d'arrêté et comme toi j'en ai parlé aux autres. Après on a été se confié à notre chère directrice et elle a compris.

Et on s'est tous senti mieux.

Victoria, St-Constant

Capitaine,

Papa bois toute sa paye et ne donne pas de pension à ma mère. Qu'est-ce que je devrais faire? J'aimerais ça avoir un père comme les autres. Je suis en 4e année.

Suzanne, Ville d'Anjou

Bonjour,

L'été dernier à mon camping, il y avait un homme qui buvait de la bière et il prennait de la drogue. Deux minutes plus tard il a embarqué dans son auto. Il a démaré sa voiture et il a parti. Il était à 40 cm derrière moi. Si ma grand'mère ne me disait pas de me tasser. Je serais au paradis. Mais mon plus gros problème cest que je rêve à lui et dans mes rêves il me tue toujours. J'ai beaucoup peur de lui.

Isabelle, Verdun

---

* Jeune femme, toxicomane rétablie qui apporte son témoignage lors des conférences du Capitaine Cosmos.

Capitaine,

Je n'ai que ma mère mon père est en prison parce qu'il a tué son frère. Avant d'aller en prison il prenait de la drogue et il y avait plein de petites plantes à la maison et il me disait que c'était des plants de tomates. Maintenant je sais que cétait de la drogue. Une fois un ami de mon frère qui avait cassé une bouteille en petite miette il avait une petite paille je savait ce qu'il voulait faire et je lui ai enlevé la paille. Car ces dangereux pour la santé et le ciboulaux. Je vis avec ma mère, mes deux frères et mes deux soeurs alors ces dur sans père. Il en a pour 20 ans je ne suis pas près de le revoir.

Patrice, 5e

Chère Marie-Hélène,

J'ai bien aimé ton discours. J'ai appris ce que fesait la drogue. Mon père prenait de la drogue et il nous a perdu à cause de cette drogue nous n'avons pas eu de cadeau de Noel. mais je suis pas mort pour ça. Aujourd'hui il ne prend plus de drogue et il est toujours avec nous. Moi j'ai compris, maintenant je dis «non».

Josy

Monsieur Cosmos,

Ma mère ne vie plus avec mon père depuis 7 mois parce que mon père buvait de la bière. Quand il rentrait de travailler, il battait ma mère et nous.

C'est pour ça que ma mère est séparée. Ca faisait quinze ans qu'elle vivait avec mon père.

Depuis que mon père et ma mère sont séparer mon père passe toujours au poste de police.

Le... 1989, mon père en avait assez de la vie il ses pendu en prison. Depuis ce jour ma mère est triste.

Marie, Montréal

Capitaine Cosmos,

Si on n'a pas le droit utiliser les drogues pourquoi des personnes vendre des drogues?

Sylvestre, Pierrefonds

Cher Capitaine Cosmos,

Chez nous mes parents se chicanent souvent. Ils se disputent souvent pour rien. Moi je m'enferme dans ma chambre et je commence à pleurer. À l'école je suis première de classe mais quand je viens à l'école et je sais que mes parents sont en train de se disputer, mes notes descendent beaucoup. Même quand ils parlent normalement j'ai l'impression que la bagarre va éclater. Un jour mon père a parlé de séparation. Je ne pourrais jamais supporter cela. J'aurai sûrement envie de me suicider.

Lyse, 6e B

Salut Marie-Hélène,

Je te trouve très courageuse. Ma soeur fume. Elle a 13 ans et ma mère ne le sait pas mais moi je le sais. J'ai peur qu'elle se retrouve drogué un jour. Que faire? Il y a mon père qui se drogue avec des joint. Je l'ai découvert à faire ça mais il n'est pas le seul. Ses amis aussi. Pourtant mon père c'est un gars qui croit beaucoup en la foi. Un jour le lui ai demandé pourquoi il faisait ça. Il m'a dit: «Je sais contrôler». Je ne sais plus quoi faire.

Ça m'a fait du bien d'en parler à quelqu'un.

Cécile, 6e année B

Cher Capitaine Cosmos,

Mon père prenait de la drogue avant. Il a arrêter 1 mois avant de m'avoir. Est-ce que je pourrais en avoir dans mon corps?

Anne, 4e B

Cher Capitaine Cosmos,

Le problème c'est que ma mère me bat à coups de bâton très épais et des fois il y a des clous dessus et ça fait très mal. C'est toujours moi qui nettoie à la maison qui fait à manger. Moi j'ai deux soeur et elles aussi se font battre. Ma mère m'a déjà mordu sur le poignet gauche, je seignès. Capitaine je t'empris aide moi parce qu'elle me bat presque tous les jours. Aide-moi s'il-vous-plait.

Je t'aime

Manon, Montréal

Capitaine Cosmos,

Mon problème c'est que mon père a arrêté de prendre de la bièrre depuis deux mois. Je croix qu'il requomense à boire de la bièrre. Parce qu'il prend plus soins de nous il pense juste à lui. Et il emprunte de l'argent. Quand je vais au patin de fantaisie, je lui demande de venir me chercher. Il dit qu'il va faire une petite job chez quelqun. Je ses bien qu'il va prendre de la bièrre. Ditez-moi ce que je peut faire pour aider mes parents.

Mylène, Ste-Gertrude

Cher capitaine,

L'autre jour j'ai trouvé des revues avec des femmes nues et j'ai pas osé regarder plus loin. Si mon père l'avait su il m'aurait sacré une volée en pleine face comme d'habitude. Ma mère elle danse avec n'importe quel garçon, rentre tard le soir (presque tous les soirs de la semaine) puis elle a un garçon nommé Pierre avec lequel elle fait l'amour au moins trois fois.

L'autre jour elle criait tellement fort mais les gars qui vont dans son lit change de nom et j'ai peur qu'elle ait le sida. Quand elle boit, elle crie toujours après moi pi ma soeur. Des fois, je me demande à quoi ça sert des parents. Il y a seulement ma grand'mère qui m'aide.

Julie, 6e A

P.S. Jamais je vais prendre de la drogue. C'est promis.

Bonjour Capitaine,

J'aime très bien votre habit, Il attire les enfants. Mon père avant, il prenait de la drogue: de la cocaine. Une fois mon père était en train de snifer et je l'ai vu: je suis monter dans ma chambre et pleurai. Et j'ai encore le coeur gros. Merci de m'avoir écouté.

Janine

Salut,

Salut, J'ai beaucoup problème. Quand ma mère fait un party et qu'elle boit elle devient folle. Je vait te donner un exemple: hier il y avait un party chez nous alors je demande à ma mère si je peux aller chez mon amie. Elle me dit oui alors j'y vais et reviens vers les 10h.

Je rentre et ma mère me dit il est deux heures du matin. J'ai beau lui dire qu'il n'est que 10h elle m'astine tout le temps.

À part ça, je me tiens avec une gang qui fume, ils prennent de la colle, du liquide paper et même de la marieroana. Ils m'en ont offert et ce n'est pas facile car ils me traitent de bébé. Ça me cause un problème car tout le monde pense que je fume.

À part ça je suis tannée que ma mère me sniffe direct devant moi. J'ai peur qu'elle se fasse prendre par la police alors je ne te dirai pas mon nom ni le sien.

Monique 5e année A

Bonjour capitaine Cosmos,

Moi ma mère et mon petit frère étions parti en Angleterre pour une semaine. Pendant cette semaine mon père est allé tous les soirs au bar. La semaine finie ma mère revient et elle va me coucher ensuite le tour à mon frère. Ma mère toute joyeuse rentre dans la chambre et bing bang bong mon père bat ma mère. Dis moi quelle sorte de drogue il a pris pour que l'effet soit si fort.

Marielle

Cher Claude Capitaine Cosmos,

Mon père est mort avec l'alcool il en prenait beaucoup. Il y a un an qu'il en est mort ma mère la mit à la porte parce qu'il a pris de la cocaine et la marie rouana du hash il ses suicidé. J'ai déjà fumé et je n'aime pas ça.

Philippe

Cher monsieur,

Je connais un homme appeller Simon il est un droguer. Je sais son histoire il est méchant. Il vien manger à la maison, du gaspiage et je le trète de stupide. Ma mère ne s'occupe pu de nous quand il est là. Avant on était corrècte maintenant on et pauvres. Alors je suis malheureuse.

Je suis contre la drogue et la boisson.

Mimi, 4e B

Salut Capitaine Cosmos,

J'ai de bons parents, une bonne santé et des amis. Mais j'ai peur, peur de me laisser entraîner dans la drogue et l'alcool. Toutes les odeurs de colle, de gaz, j'aime ça. Des fois, quand je prends une gorgée de bière j'ai mal au coeur mais j'aime ça. La drogue on ne parle que de ça. Quand les jeunes m'en offrent je dis non. Mais si un jour que je serais malheureuse, ce serait si facile de s'en procurer. J'ai déjà traversé une période où j'étais déprimée. Je sais que cela pourrait encore m'arriver et que je veuille prendre de la drogue, je risquerais de gâcher ma vie.

Marianne, Verdun

Capitaine Kosmosse,

J'ai un gros problème. Il y a une gang de gars, habillés en sport, qui se tiennent au parc Cartier. Il fument je ne sais quoi et ont des sacs à sandwichs remplis de poudre blanche. Je ne peux même pas aller au parc sans me faire achaler ou menacer avec des couteaux. Ils se tiennent aussi dans les métros. Je ne sais plus quoi faire!

Bernard, Montréal

Bonjour capitaine Cosmosse,

J'ai bien aimé ce que tu as dit parce ma famille est dispersée à cause de cela. Mon père en a prie pendant 4 ans. Quand ma famille sest séparée ça ma fait beaucoup de mal. Maintenant jabite avec ma mère et ne voit pas mon père. Il habite seul, mon frère et ma soeur sont à vancouvert et jai entendu dire que mon père était dans une maison de désintoxication pour 5 ans. Ca a été très dure pour moi. j'abitais chez ma tante et voyait ma mère un jour par mois (chaque dimanche pendant 2 heures). Ma mère pense que je sais pas pourquoi elle cest divorcer.

C'est la première fois que j'en parle. Ca m'a fait du bien d'en parlé!

Colette 6e B

Capitaine Cosmos
Claude Steben

J'ai trouvé ça extraordinaire, magnifique, super. Et en passant moi aussi mon père et ma mère sont séparer et ce n'est pas le bonheur. Avant quand mon père était à la maison on avait beaucoup de manger et maintenant on ne peut plus sacheter beaucoup à manger. À propo de la drogue, mon ongle était sous et il ma dit «prend un gorgée. J'ai dit «non» mais il a répété deux fois. J'ai pris sa bière et lai vidé dans le lavabo. Mon père il ma gifler il était sous lui aussi. J'ai été pleurer dans ma chambre. j'ai été joué avec un ami et jai tout oublié. Et quand mon père prend de la bière je méloigne de lui comme ça ça évite des problème.

Que la force soit avec toi.

Denis, 4e année

Cher capitaine Cosmos,

J'aimerais te remercier pour la visite que tu as fais sa ma fait penser. Je suis en sixième année. L'année prochaine je monte en secondaire. Des personnes vont m'offrir de la drogue, que vais-je faire? Est-ce que je vais prendre panique? est-ce que je vais dire oui ou tout simplement non?

Mon père était un alcoholique, il était toujours de mauvaise humeur et ne voulait que dormir. Maintenant il est arrêté complètement il touche plus à rien. Maintenant il s'occupe du jardin en arrière et recommence sa vie à nouveau. Sa va faire bientôt un an et cest la plus merveilleuse pour nous tous les membres de la famille. Je trouve que mon père fait preuve d'autonomie. Il a fait un bon exemple pour mon frère qui n'a que six ans. Moi je dis non à la drogue.

Merci beaucoup

Evelyne,
Laval-des-Rapides

Capitaine Cosmos,

Mes parents sont divorcés depuis que j'ai 3 ans. Ma mère vit avec un homme nommé Paul. Cette homme m'a abusé sexuellement.

Alors j'aimerais que tu répondes à mes petites questions.

Qu'est-ce que je pourrais faire pour oublier cela?

Toi as-tu déjà eu des abus?

Marie-Eve, 9 ans

Un sujet tabou

Claude Steben m'apprend que les cas d'inceste, si on se fie au courrier qu'il reçoit, sont le problème numéro un au Québec. Ceci est confirmé par un rapport du Comité de la protection de la jeunesse portant le titre «L'enfance maltraitée...ça existe aussi au Québec.*»

Il ressort de cette étude les données suivantes:

1) «28% des 600 enfants de l'étude ont été victimes d'abus sexuel [...].
2) La moitié de ces enfants ont subi, en plus des abus sexuels, d'autres abus: sévices corporels, négligence grave ou les deux à la fois.
3) 70% sont des filles et 30% des garçons.
4) La moyenne d'âge se situe autour de 12 ans. Cependant, une forte minorité (39%) se situe entre 6 et 11 ans.

* Roch Pelletier et Michel Lemieux, *La Réalité québécoise de l'inceste,* La Sexualité au Québec, Perspectives contemporaines, sous la direction de Josy Levy et André Dupras, Éditions Iris, 1981 pp. 158-159.

5) [...] plus d'un tiers de ces enfants souffrent d'un handicap: retard scolaire, (17,4%) infirmité physique, (9,5%) déficience mentale (9,1%).
6) Près de la moitié appartiennent à une petite famille de un ou deux enfants.
7) L'enfant abusé est souvent l'aîné ou le seul enfant de la famille (42%).
8) La majorité de ces enfants sont victimes d'une seule personne abusive (65,2%), le père habituellement (43,5%) ou un parent substitut.»

Pourtant, le sujet est encore tabou. «Généralement, c'est sous le couvercle des marmites familiales trop lourdement fermées que se mitonne l'inceste.» Le docteur Bruno Cormier dirige la Clinique de psychiatrie légale de l'université McGill à Montréal. [...] «Ce qui existe avant l'inceste, explique-t-il, c'est une famille fermée sur elle-même. [...] L'inceste, c'est souvent de famille, ça se transmet de génération en génération*.»

Il y a plus de trois ans, une jeune femme, elle-même victime d'inceste, a fondé le mouvement V.I.A. (Viol/Inceste Anonyme)** à Montréal. Elle s'est inspirée du programme des A.A. dont le taux de succès est extrêmement élevé. Elle a investi énormément d'efforts et d'énergie pour faire démarrer un groupe qui s'appelle «Les Pionniers». Imbue de sa mission, elle s'est dévouée corps et âme. Mais l'aspect honteux du problème est tellement fort qu'elle n'obtient pas les résultats espérés: épuisée, elle me dit qu'elle ne pourra pas tenir le coup indéfiniment, à moins d'obtenir de l'aide. Pour ceux qui s'intéressent à ce mouvement, voici quelques renseignements.

La seule condition pour être membre de V.I.A. est un désir de cesser de jouer le rôle de victime et d'apprendre à vivre. Le but premier est d'en arriver à un comportement et à des attitudes positives et d'aider d'autres personnes qui ont passé par le viol ou l'inceste. Ce programme ne s'adresse ni aux initiateurs (abuseurs), ni aux survivants qui sont devenus initiateurs (85% des jeunes abusés deviennent eux-mêmes initiateurs.***

La fondatrice de V.I.A. qui s'appelle Francine, a accepté de partager avec nous une partie de son vécu. Elle m'a autorisée à publier le contenu d'une émouvante lettre adressée à sa mère, dans laquelle elle brise enfin le silence qui l'étouffait.

Chère maman,

Ça fait longtemps, très longtemps que je désire te parler, mais ce que je veux te dire est très difficile. Alors j'écris. J'espère que cette lettre sera pour nous un nouveau départ et approfondira notre communication réciproque dans une plus grande confiance et une plus grande amitié.

* L'inceste ordinaire par Lise Cloutier, Châtelaine, septembre 1984, p. 146.
** V.I.A. C.P. 351, Cartierville, Québec, H4K 2J6.
*** Le mouvement I.I.A. (Initiateur d'Inceste Anonyme) est en voie de formation.

Il s'agit de ma relation avec papa. C'est important pour moi que tu saches comment ça s'est passé avec lui.

J'avais six ans, maman, lorsque cela a commencé. J'avais une confiance totale et naïve envers mon père, même s'il était alcoolique. Ce soir-là, nous étions seuls à écouter la télévision à la maison. Il m'a invitée dans la chambre à coucher et m'a demandée de me déshabiller. J'étais surprise: pourquoi voulait-il cela? Je lui ai obéi...

J'avais six ans, maman, lorsque ton bébé, ta fille, lorsque ton mari, mon père, (j'ai envie de dire le salaud — comment donner un autre nom à mon abuseur?) lorsque ma vie, donc, a été marquée pour toujours au fer rouge.

J'avais six ans. Je ne savais pas dire non, je ne savais pas qu'il fallait dire non. Après, j'étais nerveuse, sans savoir pourquoi. Le passage d'une sexualité de femme dans un corps d'enfant, c'est bien difficile.

Je ne peux pas oublier ce choc émotif.

Il m'a donné 25 sous en me disant de ne jamais raconter à personne ce qui s'était passé. Ni aux prêtres, ni à toi. J'ai pris l'argent. Il venait de mettre sur mes épaules le plus lourd secret de ma vie. Je suis une fille de parole et puis... je l'aimais.

Il a dû t'entendre venir et avoir peur: il m'a demandé de me rhabiller très vite. Je suis allée m'acheter plein de bonbons avec mes 25 sous mais j'étais incapable de les manger. Ce soir-là, il y avait du poulet pour souper, je me suis forcée à en prendre mais, pendant des mois et des années, j'ai eu un blocage vis-à-vis du poulet.

Par la suite, j'ai reçu de l'argent (parfois cinq sous) pour faire des choses qui me dégoûtaient. J'avais développé une relation de prostituée avec mon prère.

Après notre déménagement sur la rue Sherbrooke, il a commencé à m'attaquer régulièrement. C'était terrible, une vraie torture mentale. Chaque fois que je le rencontrais, j'avais envie de hurler, ça me rendait malade. Je ne savais jamais ce qui allait se passer; morte de peur, je me faufilais en rampant contre les murs de la maison, comme une vraie schizophrène.

La nuit, je me faisais réveiller en panique, en sursaut, par des mains qui me «taponnaient» partout. J'étais tellement nerveuse que je somnolais d'une seule oreille pour entendre ses pas. J'étais une enfant épuisée, dormant sur mon pupitre à l'école. J'en ai doublé ma sixième année.

J'ai détesté mon père. J'aurais voulu lui crever les yeux, lui couper les mains.

Cela a duré de l'âge de six à douze ans. J'ai mis un terme à mes relations avec lui au moment où mes menstruations ont commencé. J'ai trouvé cela extrêmement difficile de couper ce lien affectif avec mon père.

Aujourd'hui, j'ai 34 ans. La partie enfant de moi est mutilée et meurtrie. Je me sens comme une lépreuse ou un fond de poubelle. Ces années d'horreur ont déteint sur toutes les parties de moi-même et m'ont suivi toute ma vie.

J'ai vécu beaucoup d'isolement parce que les autres parents interdisaient à leurs enfants de me fréquenter, à cause des jeux sexuels auxquels je m'adonnais. Au confessionnal, les prêtres poussaient de grands cris horrifiés; j'avais peur de l'enfer et même de Dieu.

J'ai également vécu dans la terreur de la sexualité, des hommes. Par la suite, j'ai été abusée sexuellement à répétition (médecins, thérapeutes, prêtres, professeurs, étrangers, etc.) Évidemment, papa avait tracé en moi le chemin qui m'a amenée à être une perpétuelle victime. Il est un malade que tu as décidé de garder pour je ne sais quelle raison. Il se peut que tu le haïsses pour quelque temps. Je ne sais pas si tu vas m'en vouloir à moi. Chose certaine, je ne voudrais pas que tu me reproches de l'avoir agacé.

Je suis actuellement suivie par une bonne psychothérapeute que j'aime et apprécie beaucoup. J'espère que cela donnera de bons résultats. Je veux devenir une femme saine et équilibrée.

Si tu as des commentaires, j'aimerais que tu les fasses. Je pense que j'ai vidé tout ce que je pouvais.

Je te remercie de m'avoir lue,

J'ai besoin de ton amour.

Je t'aime.

Francine

À cette lettre, datée de 1985, était jointe une note à mon intention.

«Yolande, je te remercie de la générosité de ton coeur pour V.I.A. Que la lumière de l'Éternelle Sagesse t'éclaire et t'inspire pour le merveilleux travail que tu fais.»

Avez-vous été touché par cette lettre que Francine a eu le courage d'écrire à sa mère? Il n'y a rien à ajouter. Je la connais depuis plus de trois ans et son cheminement m'impressionne. Je la vois s'épanouir, grandir depuis qu'elle a replacé les choses dans leur juste contexte et adopté la notion de maladie plutôt que de péché ou de vice. Les enfants peuvent-ils jamais pardonner à leurs parents? Comme toute démarche spirituelle, le pardon est un processus très lent. Depuis que Francine l'a amorcé, j'ai vu s'installer en elle un mécanisme de libération intérieure. Elle reprend possession d'elle-même et son désir de devenir une femme saine et équilibrée est en train de se réaliser.

LE PARDON

Un texte de Jacques T.

Partons d'un principe. Tout homme peut pardonner s'il y consent et choisit de le faire. Pardonner est un acte rationnel et libre; donc volontaire. En fait, je puis choisir de rester accroché au passé, ou de me tourner vers l'avenir. Ce choix présuppose une décision: celle de changer d'attitude. Cette attitude est «intérieure». Personne ne nous pousse, ne nous oblige — du dehors — à revenir sans cesse sur nos malheurs passés. Ce qui ne signifie en rien que le pardon soit facile, magique ou instantané. Mais c'est un départ vers la réalisation infaillible du pardon. Donc: vouloir, consentir, décider, choisir de pardonner. Un cheminement ne se discute pas: il s'accueille. Bref, accepter le passé, quel qu'il soit. Les plaintes, les gémissements, les doléances, les regrets éternels, les récriminations, rien ne changera rien à rien. Et vous le savez. Le passé est. Vous ne pourrez pas le changer. Mais vous pouvez changer, maintenant, votre attitude face à ce passé. Voilà de quoi se réjouir et espérer, ne trouvez-vous pas?

Mais il reste que le pardon — le vrai — suppose beaucoup d'amour. Aussi une mère pardonne-t-elle tout à son enfant, parce qu'elle l'aime. Et cela, presque malgré elle. Une épouse, par exemple, pardonnera tout à son mari, jusqu'au jour où elle ne l'aimera plus. Alors son amour pourra fort bien se transformer en haine. Et ce sera terrible.

Aimer vraiment, ce serait pouvoir redonner à quelqu'un tout l'amour qu'il n'a pas reçu et auquel il avait droit. Cela demeure possible, mais au sein d'un groupe, car il faut être très entouré de personnes qui comprendront, écouteront, accueilleront, encourageront et soutiendront dans la décision de pardonner pour se libérer. Se savoir aimé et compris de Dieu aidera grandement également à intégrer et à diluer, dans l'amour, ce passé malheureux.

Ce premier pas franchi, l'occasion viendra vite où vous devrez, à votre tour, comprendre, écouter, accueillir, encourager et soutenir un nouveau venu dans sa décision de pardonner. Le temps fera le reste. Mais, encore une fois, si l'on refuse de quitter le passé, rien d'heureux ne se produira.

«C'est facile à dire», répliquerez-vous sans doute? Je vous répondrai que si Francine y est parvenue, vous le pouvez aussi. À condition de le vouloir, avec l'aide du groupe et des principes spirituels qu'on y propose. Essayez, vous verrez bien! *

---

* Texte original et exclusif de Jacques T. auteur du livre *De l'alcoolisme à la paix et à la sérénité,* Éditions Leméac, 1981.

Chapitre VI

LES RELATIONS AFFECTIVES

Le véritable amour ignore tout calcul.
Pour lui, il n'est qu'une seule prudence,
la confiance.

Yves Girard

Les alcooliques, ainsi que leurs enfants, me disent souvent qu'ils éprouvent de sérieuses difficultés sur les plans social, financier, professionnel ou spirituel. Mais le domaine de leur vie où ils sont les plus vulnérables est, sans contredit, celui de l'affectivité, en particulier au niveau des relations de couples. Devenir amoureux, c'est un peu ouvrir la boîte de Pandore...

DES ATTENTES IRRÉALISTES

Il est vrai que nous n'avons pas appris, à la maison, comment vivre l'amour. Marqués par le spectacle de nos parents qui s'ignoraient ou s'entre-déchiraient, nous faisons l'impossible pour éviter de recréer ce que nous avons connu.

Mais notre détresse émotionnelle nous y entraîne malgré nous. Selon moi, plusieurs types de réactions, évidemment extrêmes, sont alors possibles.

a) *Le retrait:* nous bannissons de notre vie toute forme d'implication affective.

b) *Le rêve de «la vie en rose»:* nous recherchons la relation idyllique impossible.

c) *Le vagabondage sexuel:* nous refusons de nous engager en profondeur, préférant butiner d'une fleur à l'autre.

d) *L'idée fixe:* sous prétexte de stabilité émotive, nous nous agrippons, sans en démordre, à une personne que nous idolâtrons.

e) *La résignation* (voir chapitre IX: la codépendance.)

Ces attitudes prennent racine dans la croyance infantile que le ou les partenaires vont enfin combler ce grand vide intérieur que nous ressentons. En réalité, s'engager dans une relation amoureuse est, pour nous, une expérience extrêmement stressante. Loin de nous amener au septième ciel, elle nous apporte frustration et déception.

C'est bien ce que Martine, 34 ans, en pense: «Moi j'ai compris, je m'arrange toute seule. La solution, c'est de se passer des hommes. Comme ça, je ne risque rien.» Elle a opté pour le retrait. Fille d'un père méprisant et violent en paroles, elle a très tôt appris qu'il était préférable de s'isoler. Le problème, cependant, c'est qu'elle perpétue sa souffrance en niant ses besoins réels.

Madeleine, 26 ans, rêve en couleurs. Elle est née d'une famille où le père et la mère étaient absents tous les deux, perdus dans la drogue. Elle cherche encore son prince charmant. «Je serais prête à tomber dans les bras de n'importe quel homme qui m'apporterait un peu de douceur et d'affection. Je me sens tellement carencée sur le plan émotif. Jusqu'à présent, j'ai résisté à la tentation de succomber à tout un chacun, je sélectionne soigneusement mes compagnons, mais toutes les expériences que j'ai connues m'ont laissée insatisfaite. Pourtant, j'avais des gars gentils, bien corrects et attentifs à mes besoins. Rien à faire! Je reste toujours sur ma faim, aucun d'entre eux ne m'a rassasiée. La semaine prochaine, je rencontre Manuel; peut-être que *lui* va me rendre heureuse.»

Madeleine aspire à la relation idéale, la symbiose parfaite. Elle s'imagine, de façon puérile, que le fait d'être amoureuse réglera automatiquement tous ses problèmes. La société l'encourage d'ailleurs à fabuler dans ce sens en la bombardant de clichés à l'eau de rose. J'ai la nette impression que Manuel ne la satisfera pas non plus. Tant qu'elle cherche à travers ses amoureux un substitut aux parents tendres et aimants qu'elle aurait voulus, Madeleine poursuit l'impossible. Personne au monde ne peut lui redonner son enfance perdue, sauf elle-même.

Charles, 33 ans: père inconnu, mère alcoolique. «Moi, je ne m'en prive pas des femelles. Je suis quelqu'un: J'en ai tellement eues que je ne me rappelle même plus leurs visages. Qu'il faut donc être naïf pour croire au grand amour! Les femmes sont toutes pareilles, vaut mieux se satisfaire avec la quantité et la variété. Surtout, ne pas prolonger les liaisons, car on risque de s'attacher et d'avoir mal.»

Il est difficile, pour Charles, de se rendre compte que son comportement amoureux est pathologique car la société cautionne ce genre d'homme. Ce type d'A.N.P.A. donjuanesque est incroyablement habile à se défiler dès qu'il s'agit d'une relation sérieuse.

Tout ce qu'il attend des femmes, c'est qu'elles le valorisent; il affiche des airs affranchis, mais son équilibre est aussi précaire que ses conquêtes.

Brisant beaucoup de coeurs, la vie pour lui est comme un jeu, il prend plaisir à se maintenir dans un perpétuel suspense sexuel. Le comportement de Charles indique qu'il nie son grand besoin de tendresse. Il crâne, mais réalise-t-il seulement qu'en se contentant de rencontres anonymes, il se prive du minimum vital au niveau affectif?

Vincent est né de bons parents. Toutefois, ceux-ci étaient puritains, fermés et incapables de communiquer. À l'âge de 23 ans, il a fait la connaissance de celle qui allait devenir son épouse. «Dès que j'ai vu Marcelle, j'ai su qu'elle était La femme de ma vie, c'était elle et nulle autre. J'ai réussi à la convaincre de m'épouser après six ans de fréquentations. Pendant nos dix ans de vie commune, elle était mon porte-bonheur malgré ses infidélités.

J'ai tout fait (j'étouffais) pour elle. Mon univers s'est écroulé lorsqu'elle m'a quitté, mais je n'ai pas sombré dans la dépression. Socialement, il m'arrive de rencontrer des femmes qui toutes me rappellent cruellement l'absence de Marcelle; aucune d'elles ne m'intéresse. Je fais des efforts désespérés pour la reconquérir même si ça fait trois ans qu'elle vit avec un autre homme et qu'elle a demandé le divorce.»

Vincent souffre de délire amoureux. Y a-t-il une personne humaine qui mérite d'être adulée ainsi? Ce n'est pas de l'attachement, ni même de la fidélité qu'il éprouve mais une fixation maladive fondée sur l'illusion qu'il pourra regagner sa femme à l'usure. Un peu de la même manière qu'il devait extirper les sourires ou les caresses parcimonieuses de sa mère froide.

Il ressort de ces portraits quelques dénominateurs communs caractéristiques des relations amoureuses des A.N.P.A.

- Ils sont tragiquement seuls.
- Ils traînent leurs déceptions d'enfance; ils demandent à l'autre ou aux autres de leur donner la vie et l'être.
- Ils souffrent de distortion mentale vis-à-vis d'eux mêmes et de leurs partenaires.

LE CHOIX DES PARTENAIRES

La plupart des enfants d'alcooliques se plaignent souvent que le hasard leur fait rencontrer toujours le même type d'homme ou de femme qui ne leur convient pas. Effectivement, nous allons chercher inconsciemment soit la réplique exacte de nos parents, soit le modèle tout à fait opposé. Comment pourrait-il en être autrement? Faut-il le répéter, nous ne connaissons pas mieux. Désidentifiés et décentrés de nous-mêmes, ignorant ou niant nos goûts et nos besoins réels, préoccupés par l'urgence de panser nos blessures, nous restons prisonniers d'un réseau de peurs et d'ignorances. Oh non! Ce n'est pas l'amour qui rend aveugle...

Avec ces prémisses, nos antennes vont automatiquement détecter le partenaire qui correspond à notre personnalité névrosée, reléguant l'être sain en nous à l'arrière-plan. Revenons à l'exemple de l'enfant auquel on dit: «Je t'aime», tout en le rabrouant sans raison logique ou apparente. Devenu adulte, il prendra comme compagnon de vie des personnes inconsistantes et déroutantes, extrêmement frustrantes, très chaudes et passionnées une journée, froides et distantes le lendemain. Ce genre d'A.N.P.A. sera difficile à apprivoiser sexuellement, ne jouira que de demi-orgasmes et pourra même être complètement frigide ou impuissant.

Il aura de la difficulté à approcher les gens véritablement stables et aimants dont la présence lui serait bénéfique, puisque ceux-ci ne reflètent aucun comportement familier. Pour éviter de se faire à nouveau brasser dans des montagnes russes émotionnelles, il deviendra amoureux, d'une manière stérile et ridicule, de personnages tout à fait inaccessibles: prêtres, professeurs, sportifs, comédiens, vedettes, politiciens, chanteurs, etc.*

Il ou elle pourra également s'enticher de marchands de rêves, de «Don Juan» ou de Casanova qui leur laisseront le coeur vide. Pire encore, si le rejet parental a pris une forme trop cruelle, l'A.N.P.A. se choisira éventuellement un véritable tortionnaire; c'est le cas des femmes ou des hommes battus qui se complaisent sexuellement ou autrement, dans les relations à caractère sado-masochiste.

Un autre genre de traumatisme se retrouvera chez le jeune enfant auquel les parents ont transmis le message suivant: «Tu ne vaux rien», tout en se faisant porter par lui. Sans s'en rendre compte, il attirera comme un aimant des partenaires extrêmement exigeants, critiques et même despotes, qui seront en plus accaparants et accrochés à lui comme des bébés. De vrais tyrans, réclamant que leurs caprices soient satisfaits en tous points, immédiatement et pas de n'importe quelle manière. Comme eux l'ordonnent! Essayez de les laisser et ils s'accrochent à vous comme de la *crazy glue.* Sexuellement parlant, ce type d'A.N.P.A. dominé ne sait plus sur quel pied danser, se croyant obligé de se plier aux lubies érotiques plus ou moins heureuses du partenaire.

Un autre problème que nous avons fréquemment rencontré au foyer, était l'interdiction d'exprimer toute créativité: les jeux, les élans vers le plaisir étaient étouffés. Si nous osions nous laisser aller à des activités sportives ou artistiques, nous le faisions souvent pour copier les aînés ou les parents sans que cela corresponde nécessairement à nos capacités ou nos goûts réels. Maintenant, nous ne savons pas

---

* Vous devriez voir le courrier que reçoit Claude Barzotti.

ou ne voulons pas savoir ce que nous aimons vraiment. Conséquemment, nous choisirons souvent un partenaire aux antipodes de nos tendances naturelles. Ainsi Louise, jeune femme fantaisiste et bohème, oublie son côté nomade pour crever d'ennui auprès d'un pantouflard encroûté dans ses habitudes de vieux garçon. Son prétexte: la sécurité financière. Elle sacrifie ainsi sa véritable nature pour satisfaire des besoins qu'elle pourrait combler en toute autonomie.

Inversement, Paul et Céline, tous deux issus de familles dysfonctionnelles, décideront de se lancer dans une relation amoureuse sur une base aussi fragile qu'un loisir commun. Ils ignorent la précarité de leurs assises affectives et croient avoir trouvé l'âme-soeur parce qu'ils sont maniaques de la plongée sous-marine. C'est un filon bien ténu pour établir une saine conjugalité. Nos tourtereaux, au lieu de nager en plein bonheur, risquent de patauger en eaux troubles et de se retrouver dans une relation plus maritime que maritale.

Parmi les choix amoureux les plus énigmatiques que je connaisse, se trouve le phénomène des disparités sociales. Pourquoi un politicien en vue, un président de compagnie, s'amourachera-t-il d'une poule de luxe? Le scandale Profumo-Christine Keller, par exemple. Combien de braves pères de famille ont-ils quitté leur épouse et leurs enfants pour une petite arriviste affamée de dollars? Les femmes non plus ne sont pas à l'abri de ce que j'appelle le complexe de Lady Chatterley, cette noble dame qui s'envoyait... son jardinier avec un plaisir évident.

On voit fréquemment des femmes d'un certain âge, belles, intelligentes, cultivées, prospères, souvent des professionnelles, tomber amoureuses de charmants «bums». L'une choisira un joueur invétéré dont elle paiera les dettes, l'autre, un illettré qui gagne sa vie à la sueur de ses gros muscles. J'ai même connu une directrice du personnel incapable de résister aux charmes d'un de ses employés à l'hygiène douteuse. Elle m'a confié avoir trouvé difficile de le voir lancer son linge sale dans sa garde-robe sophistiquée: «Moi qui me parfume au Fleurs de rocaille, j'ai du mal à passer au Fleurs de poubelle.»

Quel que soit l'intérêt sexuel en cause, on ne peut pas dire que ce genre de relation soit épanouissant. Pourquoi alors sélectionner pareils partenaires? Nous avons déjà mentionné le manque d'estime de soi comme une caractéristique des enfants d'alcooliques. Malgré leur réussite matérielle, ils persistent à croire qu'ils sont nés pour un petit pain... sentimentalement parlant. Leurs succès extérieurs masquent une tragique faillite intérieure. Ils se disent: «Je ne mérite pas mieux» ou «Il est trop bien pour moi.» Se satisfaire d'un compagnon qui n'est pas à sa hauteur, c'est s'auto-dénigrer de façon subtile et se sortir de l'image chromée qu'on s'est créée.

Il y a également le fait que nous ferions n'importe quoi pour ne pas ressembler à nos parents. La femme issue d'une famille snob et bourgeoise où elle a souffert, optera, par révolte, pour l'opposé de son milieu d'origine. Souvent, on exigeait d'elle qu'elle soit parfaite, on la faisait parader, bien habillée, bien dressée, récitant des poèmes, jouant du piano. Un vrai petit singe savant. Maintenant, c'est la déclaration d'indépendance via la basse foire, les amours illicites ou choquantes. Peut-être s'ajoute-t-il le désir inconscient de se punir ou de se ravaler? Sur le plan sexuel, inutile d'ajouter que ce genre d'A.N.P.A. ne pourra éprouver de jouissance qu'à la condition de fonctionner par interdit ou de se sentir diminué ou avili . N'importe quoi pourvu que ça ne ressemble pas aux parents guindés et artificiels qu'il n'a jamais vus s'embrasser ou échanger des mots d'amour. Pour d'autres, la pratique de liaisons scabreuses n'est qu'un simple retour aux sources. Ils n'ont eu sous les yeux que le spectacle constant de scènes dégueulasses et des turpitudes qui ont souillé la pureté de leur âme d'enfant.

En d'autres mots, qu'est-ce qui est sain? Je pense, pour conclure, que nous aurions intérêt à méditer la citation suivante:

> «Une loi naturelle veut que l'on désire son contraire mais que l'on s'entende avec son semblable. L'amour suppose des différences. L'amitié suppose une égalité, une similitude de goûts, de force et de tempérament*».

LES PEURS

Tout le monde vit des peurs et c'est normal. Ce phénomène vital est un réflexe instinctif et salutaire qui pousse l'humain ou l'animal à fuir ou à attaquer en cas de danger. Oui mais... nous les enfants d'alcooliques, hypersensibles et dépouillés affectivement, n'arrivons pas à nous défaire de la peur, même lorsque l'alerte est passée. Cet état est trop profondément incrusté dans notre être, il devient alors une prison permanente, notre mode de vie. Dans le domaine des relations de couple, nos appréhensions sont particulièrement néfastes. Sans faire une fastidieuse énumération de toutes les craintes connues (il paraît qu'il y en a plus de 800!) voyons les principales causes de nos déboires sentimentaux.

---

*Françoise Parturier, *Le Dictionnaire des citations du monde entier*, Karl Peht, Marabout, 1978, p. 31.

1) *La peur de faire confiance*

Faire confiance... y a-t-il expression plus mystérieuse pour un A.N.P.A.? Nous ne savons même pas ce que ces mots veulent dire. C'est l'inconnu total, notre principal handicap. Nous vivons en pleine méfiance; de ce cancer de l'âme, découlent toutes nos autres peurs. La méfiance est la matrice fatale qui détermine nos échecs sociaux et affectifs, engendre nos dépendances et nos dépressions, nourrit notre égocentrisme et notre immaturité, bloque notre raison et notre faculté d'aimer. Nous pouvons toujours nous débrouiller pour fonctionner cahin-caha avec nos autres limites, mais le manque de confiance sabote TOUT: «Nous n'avons rien à craindre sauf la peur elle-même *.»

Nous avons appris que nous ne pouvons nous fier à personne, leçon qui ne s'oublie pas. Comment pourrions-nous croire aux humains ou à la vie? On nous a présenté les choses sous leur aspect le plus revêche, mettant le focus sur le danger ou le négatif sans indiquer que la vie pouvait être également plaisante et abondante. Par exemple: «Le bon Dieu va te punir — Tu vas faire mourir ta pauvre mère — Tu veux faire de la bicyclette? Tu vas sûrement te fracturer le crâne! — Si tu sors le soir, tu vas te faire violer — Nous les femmes, on est nées pour souffrir — Gibier de potence, tu vas finir en prison.»

Non contents d'empoisonner le moment présent, nos éducateurs nous ont également enlevé l'espoir de meilleurs lendemains. Par exemple: «Qui a bu boira — Quand on sort d'un trou c'est pour retomber dans un autre — Ça va bien? Ça ne durera pas longtemps et on va payer pour.»

Paroles pessimistes et, de plus, gestes inquiétants. Nancy m'a raconté la terreur que lui inspirait son père, pourtant plein de bonnes intentions, lorsqu'il la prenait dans ses bras, ivre et titubant. Quel roulis, quel tangage! Allait-il l'échapper? Claude, lui, ne pouvait compter sur sa mère qui allait se cacher dans sa chambre lorsqu'il se faisait battre.

Pire que tout, nous avons appris à douter de nous-mêmes, de notre jugement, de nos perceptions. À la maison, les choses insensées étaient justifiées. On nous disait que c'est normal que papa dorme le

*FRANKLIN ROOSEVELT, les meilleurs articles de Bill, publications françaises des AA du Québec, 1965, p. 11.

visage dans son spaghetti ou que maman arrive à la réunion de parents la perruque de travers. Nous devions mériter l'amour: «Si tu n'es pas sage, le Père Noël ne t'apportera pas de cadeaux». Nos défauts ou nos erreurs étaient impitoyablement soulignés et nos qualités ignorées: «C'est donc dommage que tu aies un si grand nez, tu aurais pu être si belle. — Tu as *encore* mouillé ton lit!»

Finalement, nous avons l'impression d'avancer dans l'existence en côtoyant un précipice insondable dans lequel nous pouvons basculer à tout instant. Avec cette vision de la vie, imaginons le casse-gueule que ça peut représenter pour nous d'essayer d'aimer.

2) *La peur de l'engagement*

Rien n'est plus difficile pour un A.N.P.A. que de faire la différence entre un engagement réel et la codépendance. Nous avons eu sous les yeux l'image de parents incapables de cheminer en se tenant debout, côte à côte, comme des adultes autonomes et responsables d'eux-mêmes. Il n'étaient jamais véritablement engagés, mais bien accrochés l'un à l'autre, dans un esclavage où ils s'asphyxiaient mutuellement. Nous ne voulons pas reproduire ce modèle: par contre, nous sommes poussés par un besoin légitime de fusion amoureuse. Suspendus entre le désir et la peur, nous vivons ce que j'appelle le tango des névrosés: il avance, je recule; je me rapproche, il me délaisse; il rompt, je veux l'épouser; il m'épouse, je parle de divorce; il prend une maîtresse, je ne l'ai jamais tant aimé... Un pas en avant, deux en arrière, trois à gauche, un à droite... Dans ce chassé-croisé émotionnel, nous croyons à tort sauvegarder notre liberté. Une autre façon plus subtile de fuir l'engagement, qui n'a rien à voir avec le complexe du séducteur, c'est l'incapacité d'être fidèle à une seule personne en fuyant dans la facilité du vagabondage sexuel.

3) *La peur de se perdre*

Sur la peur de l'engagement, se greffe celle de se perdre dans la relation affective. Ce problème se rencontre très fréquemment chez les A.N.P.A. puisque notre sens de l'identité est extrêmement fragile ou inexistant, il est facile de nous fondre dans l'autre. Nous vivons par intérim, écoutant par exemple *sa* musique classique alors que nous adorons le jazz, ou devenant végétariens quand c'est un épais steak saignant qui nous fait saliver. Cet anéantissement de la personnalité peut aller très loin. Une comédienne montréalaise très connue, belle et talentueuse, m'a confié qu'elle s'interdit tout contact avec un homme, tellement elle a souffert de sa compulsion amoureuse. «C'est pire que l'alcoolisme», m'a-t-elle dit. Obnubilée par sa flamme du moment, elle perd complètement ses capacités de concentration et ne peut plus apprendre ses répliques, n'éprouve aucun plaisir à pratiquer son métier, quitte son luxueux appartement, délaisse ses amis pour s'enfermer chez *lui* à faire son ménage. «Je me laisse engraisser, me fends en quatre pour recevoir *ses* amis, néglige mes enfants.»

Lequel d'entre nous n'a-t-il pas refusé une sortie ou perdu une journée de travail, rivé au téléphone, les oreilles dressées, le coeur palpitant, attendant la sonnerie libératrice de l'anxiété? À 18 ans, ça passe encore, mais à 45 ans... Que dire de ces femmes timides et réservées qui acceptent, à contrecoeur, de fréquenter un camp de nudistes pour plaire à leur époux!... «J'irais jusqu'au bout du monde, je me ferais teindre en blonde, si tu me le demandais...» (air connu).

Dans ces conditions de toxicomanie amoureuse, le sevrage affectif est absolument intolérable et déclenche, la plupart du temps, dépressions sévères ou crises dramatiques. C'est le cas de Richard Durand *, un repris de justice et un des rares hommes que je connaisse à admettre sa codépendance! «J'aurais suivi un parcomètre s'il m'avait fait un clin d'oeil.» Cet habitué des grosses peines d'amour en a eu sept. Chacune l'a enfoncé dans la drogue et l'alcool. À la troisième, il pointait un revolver de calibre 38 sur la femme qui l'avait quitté. À la septième, il enjambait le parapet du pont Jacques-Cartier.

Résumons: à force de se perdre dans les sensations amoureuses fortes, on en arrive à confondre extase, euphorie, passion, douleur, jalousie, possession, jouissance, menaces et même violence avec l'amour véritable. Prisonniers d'une illusion, nous souffrons inutilement. Ça ressemble étrangement à du masochisme...

4) *La peur d'être rejeté, abandonné et de s'exprimer*

Combien d'entre nous ont été laissés seuls à pleurer, oubliés sur des bancs de voitures ou dans des centres commerciaux, expédiés au fast-food du coin pour souper, placés dans des pensionnats, des orphelinats, ou simplement confiés à de parfaits étrangers?

---

* Réhabilité sur toute la ligne, il est le président-fondateur de Les Conférences de Transformaction inc. Brillant conférencier/communicateur très en demande, il organise des symposiums de prestige i.e., invité le docteur Norman Vincent Peale et est l'impresario exclusif au Québec des Rice Brothers et de Og Mandino, entre autres choses.

Avions-nous besoin d'un conseil, d'un appui, de consolation, nous étions carrément chassés: «Crisse ton camp» ou subtilement évincés: «Fais tes devoirs au lieu de poser des questions niaiseuses.» En d'autres mots, nous étions toujours de trop.

Si ces plaies d'enfance ne sont pas encore fermées, notre vie affective devient drôlement compliquée. Toute forme de rejet, réel ou imaginaire, nous fait trop mal. Nous devenons alors de véritables quêteux d'amour, que certains appellent péjorativement des tapis de porte. Voici comment ce dernier se définit.

— Je ne suis pas capable de dire non même lorsque je le devrais.
— Je vais dire souvent: «Ça n'a pas d'importance», alors que ça en a.
— Je suis souvent blessé, mais très rarement en colère.
— Je fais tout pour garder la paix, évitant même de parler de problèmes dont il faudrait discuter.
— Je crois, en général, que les besoins et les opinions de l'autre sont plus importants que les miens.
— Je passe mon temps à m'excuser.
— Je vais admettre que j'ai tort, même si j'ai raison, pour éviter de fâcher l'autre.
— Je crains constamment de faire mal.

Ce type de comportement «acceptable» aboutit à des relations tissées d'éternels malentendus, de dialogues amoureux restreints ou inexistants. Prenons, par exemple, un fait banal que tous les couples ont à vivre un jour ou l'autre. Sébastien revient du travail furieux contre son patron et engueule Nicole injustement. Celle-ci se sent personnellement rejetée et, au lieu d'avoir une attitude d'adulte en lui rappelant qu'elle n'a pas à servir de défouloir, passe la soirée à bouder comme une enfant. Son mari part jouer aux cartes avec des amis, elle se sent abandonnée maintenant et devient très angoissée. S'il allait en rencontrer une autre! Plus tard, lorsqu'arrive le moment de se mettre au lit, Nicole, pleine de ressentiments, n'a évidemment pas le coeur aux rapprochements sexuels. Peu importe, elle se sent tellement soulagée de voir Sébastien de retour au bercail. Elle ira même jusqu'à jouer la grande passion, simuler l'orgasme délirant: n'importe quoi pour éviter qu'il s'intéresse à une autre. L'imbécile, pense-t-elle, n'y voit que du feu et c'est ainsi que se construit une relation basée sur le mensonge.

De plus, Nicole a la conception erronée qu'un couple parfait ne se querelle jamais. Il est vrai qu'elle a vécu dans un foyer où la vaisselle volait bas et ne désire pas que cela se reproduise. Mais elle a beau trafiquer la réalité, sa relation avec son mari se transforme en guerre sourde à force de lui mentir et surtout de se mentir à elle-même; l'hostilité couve, ils sont secrètement dressés l'un contre l'autre.

La peur de l'abandon se manifeste de différentes façons. On se demande souvent pourquoi certaines personnes haïssables font tout pour se faire rejeter, même si elles en souffrent. Que fait un enfant dont personne ne s'occupe? Des mauvais coups... pour attirer l'attention. Il vaut mieux être exécrable qu'ignoré. D'autres, pensant se mettre à l'abri, prennent les devants: *ils* rejettent les autres. Évidemment, leurs relations affectives seront laborieuses et tordues, fondées sur une bien piètre qualité de communication.

Que de problèmes! Pourtant tous les enfants d'alcooliques décrits dans ce chapitre sont débordants d'amour. Prisonniers des comportements appris dans leur jeunesse, ils tentent, en dépit de désordres importants de personnalité, de vivre des relations de couples harmonieuses. L'amour ne passe pas!

C'EST QUOI L'AMOUR?

J'aimerais maintenant vous présenter Michèle, une de mes bonnes amies âgée de 32 ans, fille de deux parents alcooliques et elle-même alcoolique rétablie.

«Mon père a vécu son mal de vivre dans les tavernes, pour noyer ses problèmes et ses ennuis. Constamment, je sentais planer la menace de son départ définitif. Cette absence s'est tellement fait sentir que je porte en moi la certitude qu'un homme, ça vit sa vie sans se soucier des autres. Ma mère, pour sa part, n'a jamais menacé de nous quitter; mais elle le faisait régulièrement, lorsque j'étais petite, pliant bagage pour quelques jours. Quand elle sortait le soir, je me pendais à son cou, pleurant à chaudes larmes et lui faisant promettre de ne pas m'abandonner. Elle partait tout de même pendant mon adolescence et je me retrouvais face à ce père avec lequel aucune communication n'était possible. Quand j'avais mal, je souriais. Quand j'avais peur, je fonçais.

«J'ai été marquée par tant de départs, de retours, de menaces de perdre à jamais cet amour essentiel dans ma vie. La peur d'être abandonnée est si fortement ancrée en moi que je traîne toujours, au sein d'une relation affective, la sensation du départ imminent de mon partenaire amoureux. Lorsque cette situation devient intolérable, je quitte laissant l'autre désemparé.

«Je me suis mariée très jeune, trop jeune. Dès le départ, mon époux, que je qualifierais d'être relativement équilibré, s'est plaint de ma dépendance, de ma difficulté de vivre normalement mes émotions. Régulièrement, j'ai menacé de le quitter, tentant de le faire réagir pour vérifier si cela était son désir et, lorsque résigné, il approuvait ma décision, je m'effondrais et devenait cette enfant perdue que j'ai toujours été. Un jour il me quitta pendant une semaine. J'ai voulu mourir, me suicider, me taire à jamais, cesser de respirer, de boire, de manger. L'angoisse m'a étreinte si fort que j'ai pris un an et demi à m'en remettre. Durant ces longs mois, je perdis le sommeil et plongeai dans une dépression qui me semblait interminable. J'étais incapable de rester seule une minute. Je le suivais partout, comme un chien perdu qui, instinctivement, s'accroche à l'homme qui le nourrira peut-être...

«Après avoir consulté un psychologue, je finis par me remettre sur pied et, dès l'instant où je sentis mes forces revenir, je le quittai. Étrangement, une semaine plus tard, j'ai récidivé avec un homme émotivement aussi malade que moi. Un homme avec deux enfants de mon âge et plusieurs maîtresses. À ses côtés, c'était l'enfer. Trompée, violentée verbalement, moralement et physiquement, je demeurai tapie dans un coin, incapable de faire le choix nécessaire à ma survie: le quitter. Plusieurs mois plus tard, je réussis à m'en sortir lorsque... je rencontrai un autre homme.

«Dès le départ, je sentis intuitivement que nous n'étions pas faits l'un pour l'autre. Qu'importe! Avais-je à ce point manqué de tendresse et d'amour? Je me suis même lancée dans cette relation plus rapidement que d'habitude.

«Ma vie n'a toujours trouvé un sens que dans une relation affective. Je n'ai toujours existé que par le biais d'un homme. Je suis hantée par la peur que n'importe quelle femme pourra me ravir mon amour, que toute divergence n'a d'issue que dans la séparation.

«Un jour, je ne sais trop pourquoi, peut-être avais-je assez souffert d'attendre que quelqu'un d'autre vive ma vie à ma place, je réalisai que je devais me prendre en main. Pendant près d'un an, j'appris à prendre soin de moi, je me traitai en enfant malade, fragile. Mes premiers soirs de solitude, je les passai dans mon appartement à pleurer désespérément, assise entre deux portes.

«Depuis, j'apprends à me respecter de plus en plus et je sens que de vieilles attitudes meurent en moi. Consciemment, je réalise que ma vie est une lutte quotidienne pour ne pas perdre mon identité et tomber dans une dépendance malsaine et maladive. Malgré tout, j'ai encore cette tendance à m'effacer ou à me discréditer, mais je crois qu'avec le temps et mes efforts, les choses s'amélioreront.

«Je pourrais me comparer à la vague. Avant de bondir à la surface et de tout éclabousser avec force et vigueur sur mon passage, je me dois de raser le fond, de m'égratigner la figure au plus profond de l'océan, comme si je n'allais plus jamais faire surface. Mais toujours, je remonte vers les cieux pour bondir à l'assaut de la vie.»

Je te comprends, Michèle. Tu m'as souvent demandé, parfois sur un ton désespéré: «Comment puis-je faire pour vivre sainement une relation affective?» J'ai découvert dans un document des E.A.D.A. ces préceptes simples et efficaces. Je ne dis pas qu'ils sont faciles à appliquer mais je crois qu'ils pourront t'aider.

1. J'assumerai moi-même mon vide intérieur. Tu n'auras pas à le combler.
2. Je ferai confiance; et je t'en ferai part lorsque j'en serai incapable.
3. Je serai présent; tu peux compter sur moi.
4. Je te préviendrai avant de m'en aller.
5. Je te ferai part de mes pensées et de mes sentiments, dans la mesure du possible.
6. Je laisserai tomber les masques en ta présence aussi souvent que possible.
7. Je ne serai pas toujours d'accord; mais je serai quand même présent et j'exprimerai mon désaccord.
8. Je ferai part de ce que je vis.
9. J'assumerai les conséquences de mes paroles et de mes actions.
10. J'accepterai de donner aussi bien que de recevoir.
11. Je promets de respecter tes efforts et de leur accorder autant de bienveillance qu'aux miens.
12. Je n'oublierai pas que mon besoin d'intimité pourra ne pas être le même que le tien.

Avant de terminer ce chapitre, j'aimerais attirer l'attention du lecteur sur le fait que l'égocentrisme est l'ennemi numéro un des couples en détresse. Le mot égocentrisme est culpabilisant, chargé de blâme, accusateur même. Pourtant, il n'y a pas lieu de se condamner car nous sommes devenus ainsi à force de souffrir. Cependant, nous pouvons agir, inverser la vapeur, améliorer notre sort. Je reviens à ce que j'ai énoncé au tout début de ce livre: «Nous n'avons pas à être victimes de notre enfance toute notre vie.»

J'aimerais partager avec vous certaines réflexions qui m'ont aidée à grandir et à voir clair, à la suite d'une rupture particulièrement pénible. J'ai fait un genre d'examen de conscience sentimental que je vous propose comme antidote à l'égocentrisme.

EXAMEN DE CONSCIENCE SENTIMENTAL

L'acceptation
Est-ce que je m'accepte tel que je suis? Est-ce que j'accepte l'autre tel qu'il est?

La droiture
Notre relation est-elle bâtie sur l'honnêteté ou y a-t-il du mensonge dans nos sentiments et nos paroles?

L'échange
Sommes-nous capables de communication réelle, de nous exprimer librement de telle façon que le dialogue soit épanouissant pour nous deux?

La compatibilité
Avons-nous des goûts et des croyances conciliables? Pouvons-nous être d'un commun accord sur les choses fondamentales de la vie?

La responsabilité
Est-ce que je cherche à me décharger de mes obligations sur le dos de l'autre? Jusqu'à quel point puis-je m'occuper de moi-même?

La tolérance
Suis-je capable de laisser tomber mes préjugés pour respecter ses goûts et ses opinions?

La présence
Quand il parle, est-ce que j'écoute? Est-ce que j'enregistre ses messages non exprimés? Suis-je capable de percevoir ce qu'il ressent tout en restant détaché émotivement?

L'indulgence
Est-ce que je condamne ses erreurs sans pitié? Suis-je capable de compassion?

La considération
Ses besoins sont aussi importants que les miens. En suis-je conscient?

L'ouverture
Suis-je prêt à laisser tomber ma carapace et dévoiler mon moi intime à l'autre? *

Voilà les ingrédients qui permettent à de très nombreux couples, même chez les alcooliques rétablis, de vivre aujourd'hui dans le calme, le bonheur et l'équilibre. Sans entraves, l'amour passe enfin.

---

* Inspiré de *Adult Children of Alcoholics*, Janet Geringer Woititz, E.D.D., Health Communications Inc., 1983, pp. 69-70.

Chapitre VII

MA SOEUR LORRAINE

Il y a une force qui nous pousse à choisir le chemin le plus difficile par lequel nous transcendons le bourbier où nous naissons souvent.

Scott Peck

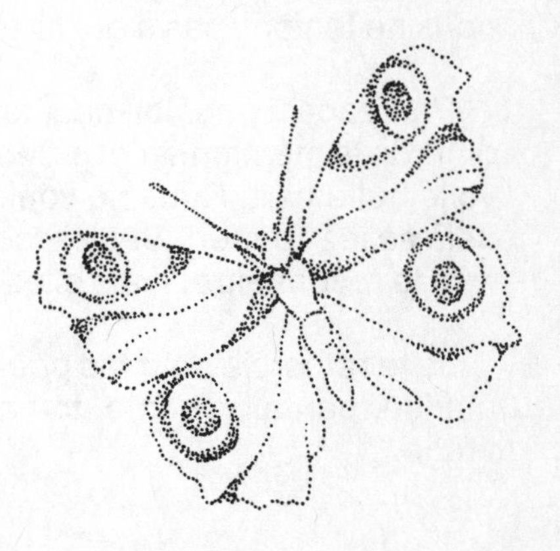

En accord avec ma soeur Lorraine, le 4 août 1989, j'adressais à ma mère la lettre suivante:

Chère maman,

Je t'ai déjà parlé de mon grand désir d'écrire un livre pour aider les familles d'alcooliques. Cette idée a été, je crois, une inspiration du ciel. J'ai demandé à Lorraine de rédiger un texte sur sa vie, persuadée que cela l'aiderait à se réconcilier avec le passé. Tu sais combien elle en arrache depuis des années et des années.

Lorsque je lui ai proposé cette collaboration, elle a d'abord refusé puis s'est accrochée à ce projet comme à une bouée de sauvetage. Depuis, elle écrit, écrit, écrit. L'expérience semble très bénéfique et, pour la première fois depuis longtemps, je suis enfin en mesure de te donner de bonnes nouvelles. Il y a de l'espoir: je vois la lumière au bout du tunnel.

Sur réception de ses textes, j'ai été stupéfaite de constater jusqu'à quel point ma jeune soeur est le prototype exact de ce que j'avais déjà décrit. Sans le savoir, elle est une encyclopédie ambulante du syndrome de l'adulte né de parents alcooliques. J'ai tellement apprécié la qualité de son écriture que j'ai décidé de la publier intégralement. Compte tenu de son expérience et de son intérêt plus que vif, je l'ai invitée à faire équipe avec moi pour les fins de ce livre.

Ceci dit, je dois te prévenir que nous ne pouvons éviter de parler de certains aspects négatifs de notre vie familiale passée, bien que nous ne tenions pas à en faire un vulgaire étalage.

Par respect pour toi, pour tes 84 ans, nous avons volontairement omis de te mentionner et je tiens à t'assurer que ton nom ne sera dévoilé nulle part. Nous ne voulons pas te blesser inutilement, tu as déjà assez souffert. Seules les personnes très proches de toi pourront te reconnaître, mais elles sont déjà au courant.

Je te remercie pour tes prières et tes pensées d'amour. Je te demande, par la présente, ton accord pour la publication de cet ouvrage.

Affectueusement,

Yolande

Québec, le 14 août 1989

Ma chère fille,

J'ai bien reçu ta lettre du 4 août et tiens à te dire que je suis enchantée de ton idée. Ça me fait tellement plaisir de voir mes filles réunies dans un projet commun. Quelle joie de savoir que Lorraine prend du mieux!

Ce que j'ai trouvé le plus dur dans ma vie, ça été de voir mes enfants victimes de l'alcoolisme de leur père. Comme ça me fait du bien, maintenant, de savoir que toute cette souffrance n'aura pas été inutile et va porter fruit.

Que de grâces vont retomber sur vous pour avoir écrit ce livre. J'espère qu'il aidera beaucoup de monde. Je sais combien il est important d'avoir du soutien moral lorsqu'on est aux prises avec un problème aussi grave. J'en ai tellement manqué. À l'époque, il n'y avait rien, aucun mouvement, aucun organisme, aucun livre pour nous éclairer. Il fallait tout cacher.

Aujourd'hui, les choses ont bien changé. Les épouses d'alcooliques ont beaucoup plus de possibilités de s'en sortir. Je veux ici leur donner un message d'espoir. Malgré toutes les larmes que j'ai versées et ma grande solitude passée, j'ai réussi à retrouver la paix et je finis mes jours enfin heureuse.

Je prie toujours pour que le ciel continue de vous inspirer et que Dieu vous soutienne dans votre beau travail.

Ta mère qui t'aime

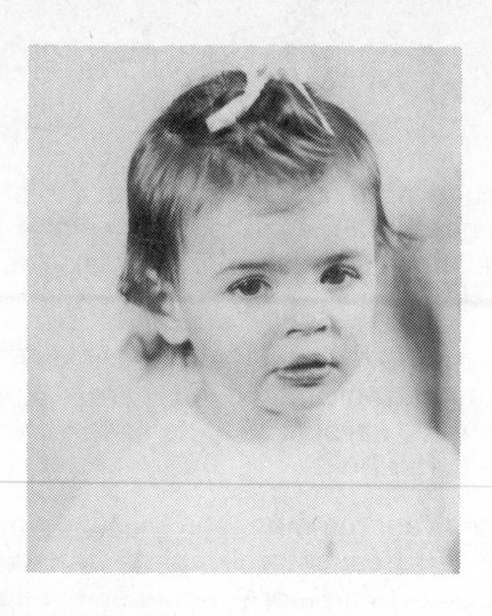

MA SOEUR LORRAINE (en deux chapitres)

Faut-il vraiment parler de notre enfance, Yolande? Rebrasser tout ça? Soudainement, ma mémoire s'embrouille, je ne trouve pas les mots, moi qui ai habituellement la plume facile. Je ne vais sortir que des clichés et des banalités. Ça risque d'être quétaine, désordonné, mélo, sec ou ridicule. Mais puisque ça me plaît d'écrire pour toi, pour ce livre, puisque tu m'affirmes que ce sera thérapeutique pour moi et pour d'autres, je plonge, quitte à dégeler mes émotions figées, à rouvrir des plaies qui, de toute façon, ne sont pas cicatrisées.

Nous n'étions que deux enfants, moi la petite, toi la grande, à essayer de survivre dans l'atmosphère empoisonnée de la maison. Je revois la chambre des parents, le salon, les dizaines de bouteilles pleines ou vides qui entourent le fauteuil de notre père. Non, il n'est pas là. Malgré l'accalmie causée par son absence, nous sommes sur le qui-vive car il va bien finir par arriver. Aucune de nous n'exprime son désarroi; nous avons vite appris qu'il faut camoufler, faire semblant que tout va bien. Soudain, mon coeur se fige, je retiens mon souffle sous l'effet de la peur. Un bruit de clés dans la serrure, la porte s'ouvre, il entre.

Il est abominable! Énorme, titubant, empestant fortement l'alcool, les lèvres écumantes, le cou tordu, les veines saillantes, le regard déchaîné. Son visage violacé exprime une fureur démentielle. Il t'a repérée, il va frapper, je le sais. Vite, me cacher sous le lit, dans le fond de la garde-robe, qu'il ne me trouve pas.

Tapie dans la fausse sécurité de mes petites cachettes, je ne vois rien, mais j'entends: cris de rage, verre cassé, invectives, meubles brisés, sacres. Deux femmes hurlent de panique. Chaque fois que vous recevez un coup, toi ou maman, ça me fait mal à moi, atrocement mal. À mon tour, je me sens violente, débordante d'une rage impuissante: je désire le tuer! J'ai cinq ou six ans et déjà je me débats avec des émotions qu'on attribue aux adultes. Tiens, ça se calme; il va enfin s'endormir, je respire. Horreur! Son pas pesant se dirige vers ma chambre, il ouvre ma porte, allume la lumière. Va-t-il me découvrir? Les secondes qui suivent durent une vie, l'effroi me paralyse. Non, il ne m'a jamais trouvée, ni battue. Je suis si peu de chose. Je n'existe pas à ses yeux.

Ces scènes ne sont pas exceptionnelles, elles font partie du train-train quotidien. Le lendemain de la veille, je me dirige vers la salle de bains où il se rase. Il est sûrement dépaqueté, je vais en profiter pour enfin lui parler, lui crier mon agressivité, ma révolte, mon mépris. Que vois-je? Un homme extrêmement malheureux, tellement souffrant; il n'est plus le même. Je devine son immense détresse, consciente tout à coup du calvaire qu'il vit. Mon Dieu, comme je l'aimais! Je le regarde se raser, muette, taisant mon amour comme ma haine, honteuse de l'avoir tant détesté... jusqu'à ce que, dans quelques heures, la répétition de la scène de la veille rallume ma colère. Désir de vengeance – compassion, mutisme – besoin de m'exprimer, pensées meurtrières – culpabilité, sensation imminente d'exploser – refoulement, impossibilité de recevoir de l'amour – incapacité d'en donner, je suis perpétuellement ballottée entre des sentiments exacerbés et contradictoires.

Tant et si bien que, dès l'âge de six ans, je ne fonctionne pas. Dernière de classe, je suis trop préoccupée, trop absente mentalement pour comprendre quoi que ce soit à la grammaire ou à l'arithmétique. À l'école, je suis la victime, l'enfant sans défense, ridiculisée, humiliée, parfois brutalisée par les autres. Les adultes également me terrifient. Quelqu'un entre-t-il dans la maison, je m'enfuis. On me traite de petite sauvage ... et je me trouve tellement laide: raison de plus pour me cacher.

Les maladies psychosomatiques, asthme, bronchite, sinusite aiguë me grugent le corps à un point tel que je dois rester alitée quasi perpétuellement pendant trois ans*. Mon père, tout médecin soit-il, n'y peut rien. À 12 ans, je mouille encore mon lit. Étrangère aux activités normales d'une enfant de mon âge, je ne joue pas, ne ris pas, ne m'amuse pas. Aucun goût ni intérêt pour mes nombreuses poupées. Je fais semblant d'être vivante pour plaire à ma mère ou m'efforcer de

---

* Lorraine est le portrait classique de «l'enfant perdu». Pourtant, elle est la deuxième de la famille. Pourquoi n'est-elle pas devenue «l'enfant rebelle?» Tout simplement parce qu'il y a une grande différence d'âge entre nous deux. Lorraine a sauté un rôle: elle est plus profondément marquée par la maladie qui a pris de l'ampleur avec les années.

ressembler aux autres. Quoi que je fasse, je n'y parviens pas. Je me perçois différente, bizarre, anormale, débile.

Par contre, toi, Yolande, tu sembles t'en sortir beaucoup mieux. Plus combative, déterminée, volontaire, on dirait que tu ne te laisses pas écraser. Je te regarde évoluer dans l'univers factice que tu t'es forgé, avec ton lourd maquillage, tes bijoux, tes brillantes robes de bal, ton rire exagéré, ton allure faussement dégagée. Tu ne m'expliques rien et c'est normal, je suis trop petite: onze ans de moins que toi! Pourtant, tu devais être autant, sinon plus disloquée que moi. Ce n'est qu'avec les années que je démêlerai le vrai du faux contenus dans ta mascarade. Pour l'instant, l'enfant clairvoyante que je suis, détecte en toi un courage, une solidité intérieure réelle qui me fascinent. Je te porte une admiration béate. Autant je me trouve affreuse, faible, maladroite, insignifiante, autant tu es belle, forte, intelligente, habile et séduisante.

Tu deviendras mon modèle de femme idéale, l'exemple que j'essaierai vainement d'imiter par la suite. J'attendais évidemment beaucoup trop de présence et d'affection de ta part, alors que toutes tes énergies étaient mobilisées pour sauver ta peau. Malgré tout, tu as su trouver un peu de temps pour moi... et beaucoup pour ton maudit chat dont j'étais très jalouse. N'empêche que je te dois de très beaux souvenirs d'enfance. Tu es la fée, la magicienne, l'enchanteresse, mon Merlin. Tu sais faire jaillir la couleur et la vie de mon petit cahier de dessin maladroitement barbouillé. Toi seule réussis à me faire rire. Te rappelles-tu ces amusants bonshommes que tu as peints au mercurochrome sur mon ventre au moment où il fallait badigeonner mes boutons de picotte? Qui d'autre que toi pouvait me faire accepter cette épreuve!

Mais le temps passe. Nous grandissons toutes deux en continuant de subir, jour après jour, les tourments de la vie d'enfants d'alcooliques. N'importe quel événement anodin tourne à la catastrophe. Tu demandes 10 sous pour prendre l'autobus afin de te rendre à l'école et te fais cyniquement répondre: «Vas-y à pied.» L'école est à sept milles, une partie de sa paye est bue, l'autre flambée aux courses de chevaux. J'ose enfin inviter une petite amie chez nous. Il surgit à moitié nu en divaguant des propos incohérents. J'ai tellement honte que, pendant des mois, je m'empêche de recevoir quiconque à la maison. Nous partons en voiture faire un beau pique-nique à l'Île d'Orléans et ça devient un suspense infernal: il zigzague dans la travée gauche de la route et c'est un miracle qu'on ne se fasse pas tuer.

Avec les années, l'état du pauvre homme empire. Dorénavant, il boira dès le réveil; rares seront les moments où je le verrai dégrisé. Sa violence devient sauvage. Je me souviens du jour où il a enfoncé à coups d'épaule la porte de ta chambre que l'on avait cadenassée, avec l'espoir que tu puisses dormir enfin tranquille, sans te faire agresser. Ce n'est pas un père que tu as, c'est un char d'assaut!

Que s'est-il passé pour que pendant trois jours, tu trembles et cries sans arrêt? Tu étais dans un état de choc tellement violent qu'on a dû faire venir notre médecin de famille qui a été obligé de t'injecter des calmants. À 13 ans, c'est jeune.

Étais-tu là lorsque papa a fait sa crise de delirium tremens? Jamais je n'oublierai le vacarme qu'il faisait en se lançant sur les murs en hurlant. Te souviens-tu de mon petit chien qu'on a dû abattre parce qu'il était devenu fou? La pauvre bête n'en pouvait plus, nous non plus d'ailleurs! Pas étonnant qu'à 21 ans (âge de la majorité légale à l'époque), tu quittes la maison, le matin même de ton anniversaire de naissance, avec pour tout bagage 17$ en poche, tes blessures et ta valise pleine de robes-cocktail.

Je ne t'ai même pas vue partir. J'ai appris la nouvelle par maman quelques jours plus tard. Le choc! Me voilà privée d'une des rares personnes digne de confiance, de celle qui, même boiteuse, pouvait me donner un peu de sécurité. Vite, étouffer ma peine et me réfugier, comme d'habitude, dans mon petit univers sans tendresse, peuplé de solitude et de larmes contenues.

Pendant mon adolescence, les choses vont changer. On me cache du mieux qu'on peut la vie scandaleuse ou misérable que tu mènes. Tu es inaccessible et, comme tu me manques cruellement, je m'organise pour t'oublier. Tout oublier... Ça barde de plus en plus fort à la maison, peu importe. Comme toi, Yolande, je me débourre et les choses changent radicalement. Dorénavant, je fonctionne à pleine vapeur; je deviens très extravertie, brillante à l'école, entourée d'amis (à qui je cache toujours soigneusement les frasques de mon père) et ... je plais aux garçons! À travers leurs regards flatteurs, leurs appels téléphoniques, leurs invitations à danser, je me sens enfin importante et valorisée. Rapidement, j'apprends à exploiter ce précieux filon en développant mes talents de séductrice, sans me rendre compte que j'entre dans une impasse.

Un deuxième piège viendra à travers mon père. Même s'il fréquente des lieux sordides, s'entoure de gens mal dégrossis et s'exprime comme un charretier, c'est un homme extrêmement intelligent et cultivé qui surestime toute forme d'activité culturelle. En ai-je lu des historiens, travaillé des philosophes, appris des poèmes, bûché des versions latines, juste pour avoir un contact avec lui! Aujourd'hui encore, je n'arrive pas à me débarrasser de cette damnée habitude de rationaliser à outrance.

Et ma grande soeur dans tout ça? Tu te maries pour mettre fin au harcèlement d'une famille et d'une société qui ne tolèrent pas l'amour libre (nous sommes à Québec en 1954.) Mais ça ne leur a rien donné, tu te sépares deux ans plus tard et sans scolarité, sans métier, sans argent, tu vas vivre dans des meublés miteux à Montréal où tu exerceras le métier de «waitress».

De mon côté, la vie prend une nouvelle tournure. À 20 ans, je rencontre un gars sympathique de qui je «tombe enceinte». Comme si j'étais prête à avoir un enfant! Tout ce que je sais faire, c'est danser le rock'n'roll et lire Aristote! L'événement est d'autant plus difficile à vivre qu'en 1965, c'était une honte d'avoir un bébé hors des liens légitimes du mariage. Encore une fois, tout cacher, tout taire. Même mes amis ne l'ont pas su. À plus forte raison, mes parents. Je trouve refuge en France dans ma belle-famille qui me fait un accueil inespéré et me marie, le ventre gros de six mois. Comme si j'étais prête à me marier!

Pourtant, de la jeune femme inconsciente, carencée et inapte que je suis, va naître une merveille: Viviane. Je te remercie, Yolande, d'avoir trouvé son nom et de m'avoir assistée pendant cet accouchement si long et si pénible. Toujours, tu as su être présente pour m'aider aux moments cruciaux de ma vie. Te souviens-tu comme tu jubilais que ce soit une fille? Moi, avec ma peur d'aimer, mes conflits intérieurs non résolus et mon incapacité d'assumer mes responsabilités, je me retrouve maladroite, démunie devant elle. Pourtant, je l'adorais. N'empêche qu'elle passe des nuits à hurler les premiers mois de sa vie, protestant sans doute contre la mère frustrante et déboussolée que je suis.

Deux ans après sa naissance, Viviane perd son grand-père; l'alcoolisme l'emporte prématurément à l'âge de 62 ans. Je reste stupéfaite de voir, au salon funéraire, défiler nombre de personnes reconnaissantes qu'il a aidées et guéries. Tiens, tiens. Malgré sa maladie, il a su faire du bien, sauver des vies. Au fond de moi-même, surgit l'impression fugace qu'il était formidable. Sentiment vite étouffé! Au moment de l'enterrement, nous rions comme des folles: enfin débarrassées de lui, on va pouvoir être heureuses! Vingt-cinq ans plus tard, toujours malheureuse, je revis la scène devant ma psychothérapeute et pleure à chaudes larmes à l'idée qu'il n'est plus. Adieu papa! Tu ne nous a pas donné une enfance dorée, mais tu nous a laissé tout un héritage: une expérience de vie exceptionnelle, une compréhension profonde de la souffrance humaine, ce dynamisme, ce brin de folie qui nous pousse à évoluer malgré nous.

LES ANNÉES D'ERRANCE

Évidemment, ma situation ne s'arrange pas parce que mon père est mort. Les contraintes de la vie conjugale me pèsent, je me sens stagner. Difficilement fidèle, insatisfaite d'un mari pourtant irréprochable, je décide de divorcer après quatre années de mariage. Je n'ai pas d'argent, de métier, de logement; peu importe, je me débrouillerai. Une seule chose compte, amener ma fille avec moi. Mais la pauvre! Je n'ai pas évolué d'un quart de pouce! Je crie: «Vive la liberté» et l'embarque dans ma galère... que je remplirai de galériens.

Car j'ai enfin découvert le secret du bonheur: les hommes! Pendant 10 ans, inconsciente de ma dignité de femme, je vais me brûler aux jeux stériles des amours de pacotille. Je fais du sentiment, m'attache à n'importe qui comme un chien perdu. Au début, c'est amusant, grisant même, mais ça devient rapidement emprisonnant, comme n'importe quelle drogue. Ça caramélise le quotidien, procure une illusion de sécurité, camoufle la paralysie affective, engourdit le mal de l'âme. Aujourd'hui, j'ai envie de dire: «Pauvre niaiseuse! Les alcooliques ont au moins le prétexte d'avoir été saouls pour justifier leurs bêtises. Moi, j'étais à jeun.» Allons Lorraine, sois bonne pour toi, essaie de ne pas te condamner. Tu as assez souffert de ce qui deviendra une frénésie sexuelle invivable dont tu sortiras tellement meurtrie.

Tu me comprends dans tout ça, n'est-ce pas, Yolande? Toi non plus, tu ne peux rester à flot dans ta tempête et ça t'en prend des rameurs pour faire avancer une barque qui, de toute façon, est dépourvue de gouvernail. Mais il te faut plus: alcool, cigarettes, médicaments, voyages, mondanités. C'est en vain que tu essaies de masquer ton désespoir, j'y vois clair. Tu as beau faire le clown, tout te trahit: rires trop forts et grinçants, reparties amères ou caustiques, yeux délavés, voix métallique ou pâteuse des lendemains de brosse, gestes saccadés, maquillages toujours exagérés. Visiblement tu ne t'endures pas.

D'ailleurs, ton corps proteste. De violents spasmes musculaires te clouent au lit pendant un an. Les médecins y perdent leur latin. Ta glande thyroïde achève de mourir... Je te vois dégringoler et ne retrouve plus en toi la force physique et mentale que j'avais si bien decelée quand j'étais petite. J'en suis découragée à ta place. Une question me tracasse: «Comment se fait-il qu'elle ne se suicide pas?»

À cette même époque, crois-le ou non, Yolande, en me comparant à toi (mauvais pli que je garde toujours), je me croyais supérieure puisque *moi,* je ne buvais pas! Une sérieuse anicroche allait bientôt me ramener à la réalité: À l'âge de 31 ans, mon psychisme saute. On ne peut impunément bafouer sans cesse les lois de la vie, ignorer ses émotions et se sustenter de simulacres d'amour.

Un bon matin, je me réveille en pleine folie. Je ne suis pas dans mon lit mais dans un cercueil que l'on cloue et descend en terre. Je hurle, essaie d'ouvrir le couvercle, impossible! C'est le cauchemar, éveillée, on m'enterre vivante!!! Je me lève, essaie de m'habiller. Pas moyen. Il y a un assassin qui veut me poignarder dans le placard. La nuit, le diable en personne rôde dans ma chambre; je le sens, il est là! Le jour, les gens sur le trottoir se transforment soudainement en squelettes, leurs os s'entrechoquent. Moi-même je deviens cadavre en putréfaction: je vois nettement ma peau purulente rongée par les vers. Je n'y peux rien, ça surgit comme ça, à tout moment, d'une façon atrocement réaliste. Pendant quelques jours, ces puissantes hallucinations vont me talonner. Il faut faire quelque chose. La solution, c'est une psychothérapie que j'entreprends à reculons. Je cherche l'apaisement des symptômes mais j'escamote l'essentiel: les dures exigences du travail sur soi me font trop peur. Au bout de quelques semaines, je suis au moins libérée des hallucinations.

Et ma fille dans tout ça? Que devient-elle pendant que je me débats dans mes crises d'angoisse et me gaspille toujours dans les bras de Pierre, Jean, Jacques? Elle l'aime cette mère névrosée, essaie de façon si touchante de m'apprivoiser, de percer ma carapace. Trop souvent, j'ai peur d'elle, de sa pureté, de ses besoins. Sa tendresse m'effarouche, je ne me sens pas à la hauteur, je me sauve, m'absente, m'impatiente injustement. Dans le fond, c'est moi-même que je fuis à travers elle. Ses réactions sont parfois saines, elle exprime courageusement sa frustration; mais la plupart du temps, elle encaisse en silence. J'apprendrai plus tard que, la nuit, elle pleure toute seule dans son lit. Heureusement, sa grand-mère était là. Aujourd'hui, même si Viviane semble équilibrée, ça me tord encore les tripes d'écrire ces lignes. Se débarrasse-t-on jamais d'une souffrance d'enfant?

Question insoluble, trop lourde pour moi. Pendant que ma fille s'élève pratiquement seule, je me retrouve, à l'âge de 35 ans, dans un cul-de-sac. J'ai beau tout avoir, amies, amants, intelligence, bon travail, bel appartement, loisirs et activités culturelles intéressantes, il me manque quelque chose, je le sens. De fait, il me manque l'essentiel mais je l'ignore. Je m'acharne à maintenir ma façade de femme libre et autonome, n'arrive pas à me dépêtrer des filets de la compulsion sexuelle, patouille dans une psychothérapie qui ne débloque pas, réprime comme je peux l'angoisse qui constitue désormais la trame de fond de ma vie quotidienne. Mais mes moyens d'évasion s'érodent.

Par moments, une douleur aiguë, surprenante, me traverse le coeur. Surgissent des crises d'agressivité injustifiées, de longs moments d'apathie, des idées suicidaires. Je suis désabusée, minée de l'intérieur, sans âme.

La lumière viendra de façon aussi merveilleuse qu'inattendue un vendredi d'avril, un Vendredi Saint. Il va sans dire que j'avais largué la religion étriquée de mon enfance. Athée convaincue (comme toi, Yolande) il y avait des années que je n'avais mis les pieds dans une église. Pourtant ce jour-là, j'ai obéi à la petite voix intérieure qui m'a poussée à me rendre dans cette chapelle où l'on commémorait la passion du Christ. À travers Lui, j'ai eu la révélation bouleversante de l'existence de Dieu. Telle cette enfant prodigue, je me réconcilie avec le Père. En Sa présence, mon âme recroquevillée s'entrouve, je connais enfin la paix: je me sais aimée, acceptée, pardonnée.

À partir de ce moment, ma vie est transformée. Finies les inquiétudes, la torpeur, la culpabilité, les conflits; finies les nuits dans les bars, les discothèques; désolée messieurs, je ne suis plus disponible. Je me réharmonise à tous les niveaux: sens accru des responsabilités, conscience de mon corps et de mes besoins réels, goût du travail bien fait, relations humaines plus authentiques, acceptation inconditionnelle de moi-même. Me voilà donc enfin sainement et pleinement heureuse à l'âge de 35 ans.

Mais «les voies de Dieu sont impénétrables» et j'allais cruellement m'en rendre compte. «Je l'amènerai au désert», dit la Bible. Pourquoi, Seigneur? Comme le Christ, je hurle: «Pourquoi m'as-tu abandonnée?» Je ne peux même plus compter sur Lui? Ou est-ce moi, tellement enracinée dans le mal, qui me suis inconsciemment coupée de la grâce? Toujours est-il que le résultat est le même; après un an de bien-être la trêve est finie. Me revoilà tourmentée et frustrée. J'éprouve encore plus intolérablement qu'avant la béance de mon âme.

Toutefois, au lieu de revenir à mon ancienne façon de vivre, je conserve les saines habitudes acquises et entreprends de gravir les sentiers rugueux de la recherche spirituelle. J'en ai questionné des prêtres, des gourous, fréquenté des églises, des sectes, des ashrams! J'en ai eu des réponses! «Tu es trop orgueilleuse; tu n'as pas assez aimé ton prochain; tu aurais dû assister à la messe plus régulièrement, dire ton chapelet tous les soirs...» Je devrais, me dit-on également, renoncer à la plénitude, vivre la foi nue, l'aridité dont bien des grands saints ont souffert, Dieu ne m'a pas abandonnée: je subis une épreuve de la foi. Ne pas me révolter, surtout.

Pas facile! Faute de ne pouvoir accepter, je me résigne tout en subissant mes malaises qui reviennent en sourdine. Mieux vaut ne pas leur accorder trop d'importance, me dis-je, les oublier et me tourner vers ce que la vie m'apporte de beau et de bon. Faire de la musique avec ma fille, une randonnée à bicyclette par un beau samedi de septembre, pique-niquer sur les Plaines d'Abraham, écouter Brahms avec une amie... Rien de grandiose, aucune fulgurante exaltation mystique, seulement des petits moments de bonheur tranquille que viennent parfois troubler de bonnes bouffées d'angoisse. Bah! Ça va se tasser.

Pour toi, Yolande, ce qui m'arrive est du chinois. Inutile de te demander de l'aide dans ma recherche spirituelle. Tu coules à pic emportée par l'alcool et la dépression. Sur un ton persifleur, tu qualifies mon appartement de monastère, désapprouve ma «chasteté», railles mon «ascétisme» et m'appelles Soeur Lorraine. Moi, je souris et prie pour toi. Le Père t'attend, je le sais.

Pendant qu'Il t'attend, je reste toujours sous l'impression de l'avoir perdu et poursuis mes investigations. Je lis quelque part que, lorsque la prière ne suffit pas, le jeûne est un excellent moyen d'élévation spirituelle. Tout en purifiant le corps, il libère l'âme des obstacles qui l'empêchent d'accéder à son plein épanouissement. Le Christ n'a-t-il pas jeûné lui-même 40 jours? Et puis, ça va sûrement me débarrasser de cette manie énervante de grignoter sans arrêt. Enfin une technique naturelle, efficace, qui va me permettre de solutionner mes problèmes intérieurs.

PIÉGÉE

Je tombe, sans le savoir, dans un guet-apens qui m'apportera sept années de misères dont je ne suis pas encore sortie. Au début, le jeûne m'a apporté un mieux-être physique extraordinaire. En libérant le corps de ses toxines, il m'a permis de guérir la kyrielle de maladies que je traînais depuis tant d'années: asthme, allergies, migraines, troubles gynécologique, dysplasie, douleurs aux reins, problèmes circulatoires, fatigue. Sept jours sans manger et tout disparaît sans revenir. Émerveillée, je découvre l'univers enchanté de la santé. Adieu les médicaments, les heures gaspillées chez le médecin, terminées les pannes d'énergie. Douce revanche sur mon enfance souffreteuse. De là à associer manger et retomber malade, il n'y a qu'un pas et ... je me retrouve anorexique!

Dorénavant, je perçois la nourriture comme un poison, une ennemie dangereuse et sournoise. Pour ne pas reprendre ces 15 livres que j'ai perdues, je me rationne, saute des repas, re-jeûne. Pourtant je pèse 83 livres, mesure cinq pieds et quatre pouces... et me trouve belle à ce poids! Drôle d'anorexique qui paradoxalement, s'obsède par la valeur alimentaire de la nourriture.

Je me rappelle avoir refusé une invitation au souper de fête de ma meilleure amie parce que j'avais peur de consommer du *junk food*; je ne mange que du biologique! Je me fatigue tellement avec ça que je me fais mourir à force de vouloir être en santé. «Il existe des balances pour le poids corporel, il n'en existe pas pour le poids de l'angoisse*.»

Faut-il qu'elle soit collante, la peur, pour que j'en arrive à me battre ainsi avec ma propre faim! Mais mon corps riposte et enclenche un processus d'auto-destruction encore plus virulent: la boulimie. Ici, on mange! Je me défonce, engouffrant avec avidité des quantités pharamineuses de nourriture parfois congelée, parfois brûlante, parfois pourrie. Je mange partout, en panique, en pleurant, en cachette, au travail, seule, le jour, la nuit, sans penser, sans m'asseoir, sans mâcher, sans respirer... sans... amour.

Exemple de «petit» déjeuner: 16 toasts détrempées de margarine et accompagnées de 250 grammes de beurre d'arachides, plus six oeufs, 12 bananes, 500 grammes de yogourt. Dîners, soupers, collations en même proportions. À deux heures du matin, sentant le besoin de me sustenter, je sors du lit pour courir chez le dépanneur où la caissière, ahurie, me voit engloutir sur place deux douzaines de petits gâteaux. Au diable le biologique! C'est déchaîné, frénétique, affolant. Impossible de m'arrêter. Je me sens comme un abîme sans fond.

C'est normal, pensera-t-on, que le corps privé et émacié se venge. Mais ça fait six mois que je me gave, j'ai repris tout mon poids, il n'y a plus de raison pour que ça continue. Je réalise avec horreur que je ne suis pas victime de la faim physiologique, bonne et salutaire, mais bien de cet appétit malsain, vorace, dévastateur, qui n'a plus rien à voir avec des besoins physiques réels. J'ai la faim-colère, la faim-solitude, la faim-insécurité, la faim-rancune, la faim-culpabilité, la faim-inquiétude, la faim-tristesse, la torturante faim issue du vide existentiel. Celle qui ne peut pas attendre. Celle qu'aucun supplément vitaminique ne comble. Celle qui ne s'apaise pas par le moyen de jouissances gustatives. Celle qui ne s'apaise jamais! C'est encore plus impérieux que mes fringales amoureuses de jadis. Avant, c'était d'un homme à l'autre, maintenant c'est d'une pizza à l'autre!

Ce gavage m'engourdit, m'anesthésie. Il me permet de dissimuler des réalités que je n'ai jamais digérées, m'évite de me confronter avec moi-même. Momentanément du moins. Mais comme je les paie cher mes mirages! Ma précieuse santé physique se détériore; non seulement tous mes anciens malaises reviennent en force, mais de nouveaux s'y ajoutent. J'ai l'impression de ne pas avoir un estomac mais

---

Fernand Séguin, *La bombe et l'orchidée*, Édition Libre expression, 1987, p. 30.

une plaie vive tellement douloureuse que je marche pliée en deux sous l'effet de spasmes qui me transpercent comme des coups de poignards. Mon foie et mes intestins détraqués me tordent le ventre. Parfois, j'ai peine à manger car je souffre de crampes musculaires au niveau des mâchoires. Ma langue endolorie refuse de bouger et, de toute façon, mes papilles gustatives surmenées ne goûtent plus. Rien de tout cela ne m'arrête. Je continue de me bourrer furieusement de 6000 à 8000 calories par jour. Mais ce n'est pas grave, me dit-on, je n'engraisse pas! Ou bien on m'accuse de me faire vomir. C'est faux et ça m'insulte profondément. Drôle de boulimique, maigre comme un clou.

Il faut que je m'en sorte, faire quelque chose, me changer les idées, lire, pratiquer des sports, voyager. Mais mon mental est encore plus amoché que mon physique. Envoûtée, j'en suis venue à adorer ma tyrannique consolatrice. Sous l'effet dévastateur de la diabolique obsession, mon cerveau est assailli de fantasmes alimentaires et devient comme hypnotisé. Il ne m'obéit plus. Tout mes projets sont sabotés par un harcèlement constant. Je planifie un voyage? L'épicerie du coin me télécommande, je rate mon autobus et finis la journée dans les «Mae West». J'entreprends la lecture d'un bon bouquin... Des frites croustillantes, un poulet dodu, des pointes onctueuses de fromage défilent dans ma tête. Allons au cinéma alors. Il y a un restaurant juste à côté; j'y sirote un thé pendant trois heures, ne jouissant que du spectacle de voir les gens manger, de la même manière qu'un obsédé sexuel fait du voyeurisme. J'ai un rendez-vous, des amis m'attendent? J'annule. Le téléphone sonne? Je ne réponds pas. On me parle? Je suis incapable de suivre la conversation: la quiche «Lorraine» ou la tarte aux cerises me hantent.

C'est très dur pour le moral. Je vis la désespérance de me voir ruiner ma santé et mon porte-monnaie, de n'être plus maîtresse de mes propres pensées, de retomber dans un autre comportement de droguée, de gâcher ma vie et celle de mes proches.

Il doit bien y avoir une solution. J'ai trouvé: la naturopathie. Je me bourre de magnésium, zinc, lécithine, vitamines B. Ça ne change rien. L'acupuncture alors? C'est mon Yin et mon Yang qui sont débalancés. L'homéopathe, le phytothérapeute, la médecine ortho-moléculaire, le rolfing... toute la panoplie des médecines douces y passe. Inutile de chercher dans cette voie, le problème doit être mental. Je vois donc un psychologue behavioriste, une «rebirtheuse», fais du psycho-drame, du yoga, un voyage à New York pour consulter des spécialistes. Je me paye une thérapie intensive pour outre-mangeurs (1200$)... J'empire! J'expérimente diverses théories alimentaires: végétarisme, macrobiotique, etc. Peine perdue. C'est que le mal est spirituel, me dis-je. Je fréquente les charismatiques, offre des messes aux âmes du purgatoire, porte la médaille miraculeuse. Pèlerinages, communions, neuvaines, prières, mantras, exorcisme même. Rien à faire: j'ai faim! Vingt heures sur vingt-quatre! Et plus je mange, plus j'ai faim!

J'essaie de ne pas garder de bouffe à la maison, ni d'argent de poche sur moi, mais je trouve toujours un façon de me déjouer. C'est que je suis trop égoïste, me dit-on: «Fais quelque chose pour les autres, ça va se tasser.» Deux ans de bénévolat dans un foyer pour handicapés mentaux (où j'ai donné et reçu beaucoup d'amour) ne m'enlèvent pas la faim. Je reste insatiable. Et pour cause! C'est dans le cerveau que ça se passe: la boîte de contrôle de l'appétit se situe dans l'hypothalamus, à proximité du centre du siège des émotions. En présence de troubles affectifs, les signaux de satiété sont inhibés, ce qui fait que je ne suis jamais rassasiée.

Épisodiquement, je trouve pourtant une solution à mon problème: retomber dans l'anorexie! Ça me donne l'illusion d'être guérie mais je perpétue le funeste engrenage privation-gavage. Finalement j'ai l'impression que je ne suis pas une femme, mais un estomac ambulant. Ce n'est plus moi qui bouffe, mais la bouffe qui me bouffe. Moi qui cherchais l'épanouissement spirituel, c'est réussi!

Chapitre VIII

LA FAIM D'AMOUR

Celui que l'adversité ne vient que courber
et en qui elle engendre la force de réagir,
celui-là viendra sûrement à la lumière
avec le temps.

Yi King

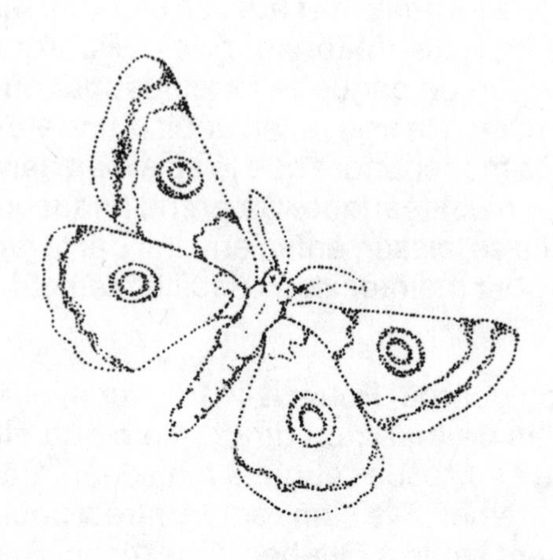

LORRAINE (deuxième chapitre)

Je continue d'être emportée par ma tornade alimentaire et, pendant cette période, j'apprends que tu as cessé de boire, Yolande. Ça me réjouit mais, comme ce n'est pas la première ni sans doute la dernière fois que ça arrive, je n'attache pas plus d'importance qu'il faut à l'événement. Je t'ai vue retomber tellement souvent.

Ça fait bien huit ans aujourd'hui, n'est-ce pas, que tu ne bois plus? Ce que tu as pu changer! Je ne te reconnais pas, ou plutôt non, je te reconnais vraiment: la vraie Yolande, vivante, palpable, authentique, apparaît enfin, débarrassée de ses faux-fuyants.

Tu n'étais pas approchable, un vrai cactus. Maintenant tu es si fluide dans l'expression de tes sentiments que tu peux m'ouvrir les bras et me dire «Je t'aime...»... et tu es également capable de m'exprimer ton impatience lorsque j'exagère. Au lieu de te flageller, tu t'acceptes et, plutôt que de trop dépendre des autres, tu cultives l'autonomie. Tu t'es débourbée du matérialisme outrancier en sachant apprivoiser le plaisir, au lieu de le nier ou d'en être l'esclave. Tes gestes sont harmonieux, ton regard limpide, ton rire sincère et ton maquillage enfin sobre. Ton arrogance s'est faite indulgence; ta dureté, tendresse; ta culpabilité, pardon.

La force que j'avais décelée chez toi dans ma sagesse d'enfant respire au grand jour, ton âme bat de l'aile, tu pries. Pourquoi retournerais-tu boire? Par quel coup de baguette magique, par quel sortilège merveilleux en es-tu arrivée à te trouver en dépit d'une vie si mal partie? Je t'entends d'avance me répondre que je suis bien naïve et t'idéalise encore trop, que rien n'est féerique. Ça prend beaucoup de souffrance avant de consentir à se laisser, enfin, envahir par la grâce et beaucoup de travail sur soi pour maintenir son équilibre émotif et la qualité de sa vie spirituelle.

Si bien que tu es devenue mon gourou. Pouvais-je trouver mieux? Mais la vie joue parfois de drôles de tours; on dirait que ce qu'elle prend d'un côté, elle l'enlève de l'autre. Je retrouve ma soeur, mais ma fille quitte la maison un soir de Noël. Elle s'en va à Montréal pour y poursuivre ses études, me laissant seule à Québec. Quel choc! Bien sûr, j'étais prévenue, on en parlait depuis quatre mois, son logement était réservé, ses meubles achetés, son inscription faite à l'université. Quoi de plus normal qu'une fille de 18 ans fasse sa vie!

J'ai si bien joué l'acceptation que j'y ai cru moi-même. Mais, dans le fond, j'aurais voulu la retenir, la garder toute pour moi. Le matin du

26 décembre donc, je me réveille dans un appartement désert. Finies nos répétitions de musique, nos chicanes pour qu'elle ramasse ses traîneries dans le salon ou ne m'empeste pas avec sa cigarette. Finie sa présence bougonneuse au petit déjeuner, ses reparties si spirituelles, sa façon subtile de me dire mes quatre vérités. Finie la vie à deux. Sur la peine normale qu'occasionne la séparation d'une mère d'avec son enfant, se greffent toutes mes tares affectives. Ma dépendance névrotique vis-à-vis d'elle me rend incapable de détachement, mon ego souffre de se sentir inutile, ma sensation de vide intérieur est décuplée, ma culpabilité avivée. Tout cela sans raison, puisque ma fille continue d'être absolument charmante avec moi. J'ai l'impression qu'à travers son enfance difficile, elle a su conserver sa stabilité intérieure.

J'ai le goût de t'envoyer, Yolande, ce texte touchant que Viviane a écrit à l'âge de 14 ans. Je suis tellement fière d'elle! Peut-être aimerais-tu le publier dans ton livre?*

DANS L'ESPACE

Elle avait déjà parcouru pas mal de galaxies. Fatiguée, elle se reposa sur une petite planète pas très hospitalière. Mais, de celle-ci, elle vit une étoile qui brillait plus que les autres. Peut-être est-ce enfin la bonne étoile, pensa-t-elle. Elle reprit sa route pour explorer les alentours. Finalement, elle décida de se poser sur une énorme boule bleue et blanche. Les belles mers et les bonnes terres que la planète avait aménagées étaient toutes prêtes à la recevoir. Après un si long voyage, elle avait enfin atteint son but. Elle s'installa d'abord dans la mer. Mais peu à peu, elle conquérit le sol. Elle est encore parmi nous aujourd'hui et on l'appelle la vie.

LE NID DE COUCOUS

Un an après le départ de Viviane, les événements se précipitent. La boulimie progresse à un rythme effréné. Maintenant, je me saoûle au sucre qui constituera, pendant six semaines, la base quasi exclusive de mon alimentation. Black out, 24 heures consécutives de coma, des jours entiers sans me laver ni me déshabiller restant au lit ivre de chocolat, respirant à peine. J'en viens à être dans l'impossibilité de travailler. Mon corps m'envoie des signaux d'alarmes inquiétants, je sens que si je continue, je vais mourir. Papa, Yolande et tous les alcooliques de la terre, jamais je ne vous ai si bien compris!

---

* Effectivement, j'ai été émerveillée par le talent de ma nièce. Ce texte prouve que le fait d'avoir vécu dans un foyer dysfonctionnel ne détruit par nécessairement les forces vives de l'être.

Il ne reste qu'une solution que j'envisage depuis longtemps mais à laquelle je ne pouvais me résigner: l'internement psychiatrique. Maudite bouffe!

Je déteste la médecine officielle et c'est à partir du moment où j'ai mis les pieds à l'hôpital que le véritable cauchemar a commencé. On m'enferme en cellule pour une dizaine de jours parce que je vole la nourriture des autres patients. Être en cellule, cela signifie rester confinée, 24 heures sur 24, dans une petite chambre fermée à double tour, sans aucun contact avec l'extérieur. Seule une étroite bande vitrée de trois pouces permet au surveillant de m'observer. Permission de sortir seulement pour aller aux toilettes ou prendre son bain (15 minutes pas plus!) Pas de visites ni téléphones, interdiction de parler aux autres. Si j'ai besoin de quoi que ce soit, sonner et attendre.

Attendre qu'on m'apporte un verre d'eau, qu'on m'ajuste le thermostat si je gèle, qu'on me déverrouille la fenêtre si j'ai chaud, attendre que ma voisine cesse de hurler en tambourinant dans sa porte, attendre que l'infirmière ait le temps de venir me parler si je la réclame, attendre les rares visites du grand manitou, le psychiatre, de qui dépend mon sort. Attendre, quel supplice, le moment du repas! Peux-tu t'imaginer, Yolande, dans les pires moments de ton alcoolisme, être internée et subissant le supplice de Tantale car on te sert sadiquement trois pauvres petits cognacs par jour!

Car je ne vis que trois courts instants par jour, l'espace d'un repas. Mon oreille exercée décèle le bruit du chariot qui apporte les cabarets, mon coeur s'affolle, il me semble que le préposé prend un temps fou à ouvrir la porte. Le soulagement arrive enfin. Mais il n'y en a pas assez! Fini le sucre, terminées les orgies. Et finie l'anorexie. Je suis enfermée seule avec ma redoutable Ennemie et on m'oblige à vider mes assiettes.

C'est là que je décolle. Brusquement, je sors de mon propre corps; une partie de moi-même s'éloigne à quelques pieds vers la droite, puis reviens vers la gauche et commence à tournoyer vertigineusement. De violents étourdissements m'envahissent, mon coeur palpite avec impétuosité, une masse lourde écrase ma poitrine qui se congestionne. Un anneau de glace m'enserre le cerveau: je me sens gelée au sens propre du terme. Maintenant, ce n'est plus de gauche à droite, mais de bas en haut, que ça se passe: je me promène la tête sur le plancher et les pieds au plafond. Je me sens secouée d'intenses vibrations intérieures, regarde ma main qui doit trembler, mais non, rien ne bouge. Je me touche pour être bien sûre que j'existe. Je commence à en douter: mon bras est inerte comme un morceau de bois, mes sens paralysent.

Me voici propulsée dans l'univers dantesque de la quatrième dimension. Déconnectée de tout, j'entre dans l'Au-delà, le Nulle part, l'Ailleurs, la Non-Existence. Je suis DEDANS le néant. Comment le décrire ce monde étrange, inconnu et monstrueux à la fois, où tout est coloré d'Irréel, où tout est «là» et «parti» à la fois? Je ne suis pas dans le présent. Ni dans le passé. Ni dans le futur.

Que se passe-t-il, Seigneur? Pourtant je ne prends pas de médicaments. Cela ne peut m'arriver à froid. Je sais! C'est le maudit psychiatre qui fait mettre, à mon insu, des tonnes de médicaments dans ma nourriture. Il faut que je me méfie. Je m'informe subrepticement. Jamais on ne fait prendre une médication de cette façon, c'est illégal. Bon, je vais dormir et demain ça sera passé.

Je me réveille dans le même état. J'appelle l'infirmière. Elle-même fait partie de l'Impalpable, de l'Éthérique; le paysage que j'entrevois par la fenêtre devient fantasmagorique; les objets, le lit, les murs également se diluent. Quel jour, quel mois sommes-nous? On doit être en hiver, il y a de la neige dehors. Je vais me regarder dans le miroir. J'aperçois une femme. Qui est-elle? Je ne la reconnais pas. C'est cauchemardesque. Une angoisse formidable s'empare de moi. Je ne vis plus la peur, ni la panique, ni même l'affollement, c'est l'épouvante.

Que faire? «Leur» en parler? Je n'ai aucune confiance en eux, ils ne comprendront rien et vont vouloir me droguer. J'abhorre les médicaments. Pendant mes six semaines d'hospitalisation, je me tais. Tout le personnel ignore ce que je vis, convaincu que je vais bien car, en dépit de tout, je reste lucide et cohérente dans ma conversation. Je ne divague pas, je ne suis pas folle, du moins pas de la même manière que les autres psychiatrisés.

Comment passer à travers ce qui m'arrive, emprisonnée dans le monde borné de l'hôpital? J'essaie de me distraire avec ce que j'ai sous la main, les mots croisés ou le tricot. Mais mon cerveau se brouille. Horizontal, vertical... tout s'emmêle. Les mots dansent de façon désordonnée dans ma tête, je mets trois jours à résoudre un problème qui m'aurait pris normalement une heure. Je n'arrive pas à déchiffrer le patron insignifiant du chandail que j'entreprends. Ça y est, je perds mon intelligence. Je suis schizophrène! Ça ne guérira jamais, il ne reste qu'une solution: le suicide.

Mais comment? J'ai trouvé! Sitôt sortie, je vais MANGER jusqu'à ce que mort s'ensuive. Pendant des jours, je repasse inlassablement ce scénario dans ma tête. Je donne ma démission au bureau, réclame mon fonds de retraite, m'envole pour Paris (là où la gastronomie est à son meilleur) et bouffe, bouffe, bouffe. Aurai-je assez d'argent pour payer l'hôtel, la nourriture, l'avion? Je fais des calculs. Un billet aller seulement... il faut que je réussisse à être morte dans six à huit mois. Surtout ne pas faire la gaffe de rester au Québec et rencontrer quelqu'un qui m'empêche de réaliser mon projet.

LES SABLES MOUVANTS

Curieusement, dès que je sors de l'hôpital, l'obsession alimentaire lâche. J'ai les papilles calmées et mange normalement, sans difficulté. Mais l'autre *bad trip,* le voyage astral, prend de l'ampleur. Les symptômes physiques, étourdissements, tremblements intérieurs, palpitations, étouffements, augmentent. Mon entité éthérique tourbillonne follement autour de mon corps physique, il m'est à peine possible de marcher. Coupée des climats, des saisons, du temps, de l'espace, de la nature et de la musique, la ville et les paysages m'apparaissent comme des photos ou des images de papier peint; les arbres, les fleurs sont inertes, plastifiés. Avec ces perceptions distordues, le simple fait de sortir poster une lettre au coin de la rue m'est insupportable. Me voilà agoraphobe, à présent! Je me terre dans mon appartement et ne me déplace qu'en taxi car la présence du chauffeur me sécurise.

Mon cerveau et ma mémoire fonctionnent de moins en moins: je suis incapable de lire quoi que ce soit, pas même une bande dessinée ni de chercher un numéro de téléphone parce que je ne sais plus mon alphabet. J'essaie d'écouter la radio, la télé, c'est du chinois. Qu'on ne me demande pas l'après-midi ce que j'ai fait le matin, je ne le sais pas. Je suis sans âge. Ai-je six mois? 90 ans? Malgré tout, je tente un retour au travail où je ne parviens pas à exécuter les tâches les plus insignifiantes. Mon médecin me prescrit un autre congé de maladie.

Même mon âme figée n'arrive pas à trouver refuge dans la prière.

Ces expériences me crucifient. Je me rappelle avec rage et nostalgie la Lorraine qui a su être jadis sportive, amoureuse du soleil et du plein air, voyageuse, efficace au travail, musicienne, sensuelle, dynamique, douée, priante... Qu'en reste-t-il? Moins que rien.

Ce qui me désole, c'est qu'à travers tout ça, je ne suis absolument pas dépressive! Plus la vie m'échappe, plus j'en réalise la bouleversante splendeur, plus je la désire, plus je suis cruellement frustrée. Tel ce prisonnier qui secoue furieusement et inutilement ses barreaux pour tenter de se joindre aux vacanciers en croisière, là-bas au large. En ai-je versé des larmes d'exaspération après avoir été obligée d'annuler ce voyage avec ma fille! Au lieu d'accepter mon sort, je me cambre, deviens archirévoltée, avivant ainsi ma souffrance. Cela génère une agressivité telle que je me bats, me mords sauvagement les mains ou les bras et m'entaille les jambes de nombreux coups d'X-Acto. Prétexte: je voulais faire une sculpture vivante!

Mais la Lorraine saine voit aller l'autre Lorraine. Et ce qui me désespère à présent, c'est de ne pouvoir basculer complètement dans la folie. Comme ce serait reposant de me laisser engloutir dans l'inconscience béate de l'aliénation plutôt que d'assister, lucidement, au pénible spectacle de ma dégénérescence.

Pourtant, avec ce qui se passe dans ma tête, je n'ai rien à envier aux patients de Robert-Giffard*. Pendant plus de deux ans, jour après jour sans exception, la phobie de l'enfer m'a tenue en haleine. Le «raisonnement» est le suivant: tout ce qui m'arrive est de ma faute, c'est le résultat du Mal profondément enraciné en moi, de ma révolte contre Dieu. Je suis Satan. Jamais de ma vie je ne changerai, je ferai toujours obstacle à la grâce et, de ce fait, me condamne au feu éternel. Dieu lui-même ne pourra m'en sauver.

Faut-il que je sois malade pour me sentir coupable d'être malade et m'inventer des arguments aussi tordus pour justifier ma culpabilité. Celle-là! Elle est inextirpable, me gruge les tréfonds de l'âme, me fait capoter de mille et une façons. Elle me fournit un microscope pour mieux amplifier tous les manques que j'ai eus envers ma fille, m'entraîne à guerroyer sans cesse contre moi-même dans une lutte dont je suis la perpétuelle perdante. Elle m'interdit de jouir et me chuchote perfidement à l'oreille: «Tu n'as pas le droit de vivre, tu n'as qu'un seul droit, celui de souffrir.»

Comme si je ne me martyrisais pas suffisamment, je me torture les méninges à me tracasser jour et nuit avec des questions ridicules (le bon dieu est-il un sadique?) ou insolubles (suis-je dans cet état parce que j'ai été méchante dans une autre vie?).

Lorsque je réussis à faire taire ce radotage mental, j'entre, pour la première fois de ma vie, en contact avec la partie de moi-même que j'avais toujours fuie. Un chagrin non identifié, chagrin d'enfant peut-être, une très vieille peine, immense, une douleur «primale», insoupçonnée jusqu'alors, veut me sortir du coeur. C'est stupéfiant, insoutenable, trop pour ce que mon corps peut contenir. Si je me laissais aller, je hurlerais. Mais je me retiens encore et toujours. Tout ce que je trouve à faire, c'est de m'écraser par terre, prendre une position foetale,

---

* Le centre hospitalier psychiatrique le plus important de la région de Québec.

me bercer sur le plancher et pleurer, pleurer. J'ai tant de larmes qu'il me semble qu'une vie entière ne réussira jamais à m'en vider.

Telles sont mes journées. Après des mois de ce régime, mon cerveau a le mors aux dents; j'ai le système nerveux branché jour et nuit sur le 220 volts car ce tue-monde qu'est l'insomnie s'est emparé de moi. Mon corps, usé par le stress, le manque d'air et de lumière, ralentit ou bloque carrément certaines fonctions vitales. Il faut me reposer, mais la machine est tellement emballée que ça me fatigue de me reposer. C'est le burnout total.

LES IMPASSES

Je ne peux tenir le coup, ni physiquement, ni mentalement. Ça ne peut durer. Après avoir, encore une fois, fait la tournée de tous les moyens naturels, je me résigne, à contrecoeur, à prendre les médicaments prescrits par le psychiatre.

Avant, c'était d'une pizza à l'autre. Dorénavant, ce sera d'une pilule à l'autre! Ni l'un ni l'autre ne m'a sortie de l'enfer. Car ces petits comprimés de drogue légale (anxiolytiques, antidépresseurs, somnifères) ont un effet «bénéfique» éphémère. Juste quelques heures d'engourdissement et tout revient encore plus fort qu'avant. C'est le fameux *rebound effect* si intolérable. Vite, une autre, et une autre... Un vrai Larousse: je sème Ativan!

Autant mon expérience de boulimique m'a permis de comprendre les alcooliques, autant je suis en mesure maintenant de communiquer avec les toxicomanes. Le plus dur dans tout cela, c'est que je suis parfaitement au courant du traquenard que constituent les psychotropes. Chaque fois que je prends un comprimé défilent dans ma tête des réalités menaçantes. Avec le temps, l'action du médicament s'amenuise, il faut augmenter les doses, on finit par ne plus pouvoir s'en passer et arrive le moment horrible où plus rien ne peut nous soulager. Déjà, ils me sont indispensables, je n'ose sortir sans en traîner dans mon sac à main. J'anticipe également les effets secondaires. À force d'empoisonner mon corps, tôt ou tard, je serai victime d'un ou plusieurs de ces symptômes: dépression, manque de coordination, nausées, désorientation, vue brouillée (je travaille comme graphiste), maux de tête violents, confusion mentale, difficulté d'élocution, troubles des reins, du foie ... et j'en passe.

Si bien que ça m'angoisse de prendre les médicaments contre l'angoisse!

De plus, je suis parfaitement consciente que ça ne règle aucun de mes problèmes affectifs, au contraire. Je les entretiens en me droguant. Et puis, je me sens coupable de me procurer un bien-être que je sais fallacieux parce qu'il met une sourdine sur mon mal. C'est comme si je trichais avec la vie.

Comment puis-je passer à travers tout ça? J'ai de multiples bouées: dessiner, écrire mon journal. Heureusement que je l'ai conservé, Yolande, sinon, tu n'aurais jamais eu ces deux chapitres. Ma psychothérapeute et un nouveau psychiatre me soutiennent et me guident. Et surtout, surtout, j'ai le bonheur d'avoir des amis à toute épreuve et une grande soeur qui connaît le tabac. Quelle patience ils ont eue! Dès six heures du matin, la ronde des téléphones commence: «Jeannette? J'ai peur. Ça ne s'arrêtera jamais. Je suis toujours dans la quatrième dimension. Je veux voir le printemps, partir en voyage avec ma fille. Je ne laisserai jamais les médicaments, je vais aller en enfer...» Elle m'écoute calmement, me réconforte, m'assure de ses prières, me donne des explications, des conseils que je n'enregistre pas. Sitôt raccroché, la panique revient. «Allô, Lucie, Yvon, Christine, Maurice... j'ai peur, ça ne s'arrêt ... »

Bref, je me cramponne après tout le monde, demandant constamment à être rassurée et portée. Ces amis extraordinaires m'ont toujours manifesté chaleur, affection, compréhension et acceptation inconditionnelle. Je les remercie tous, non seulement de m'avoir soutenue, mais surtout d'avoir été fermes avec moi en décourageant mes besoins exagérés de dépendance et ma tendance malsaine à l'apitoiement.

Dans tout cela, ma fille âgée alors de 20 ans a été super. Lorsque j'essaie de trop m'agripper, elle ne se laisse pas faire et, dans sa sagesse, me fait gentiment savoir que ce n'est pas à elle de me porter ou de me libérer. Toi aussi Yolande, tu me dis les mêmes choses que les autres, mais de la part de ma soeur-gourou, les arguments ont encore plus de poids: nos traumatismes et nos expériences de vies brisées sont similaires car tu es passée, à peu de chose près, là par où je passe. Ton «je crois en toi, Lorraine» et «*One flew over the cockoo's nest**» m'ont souventes fois épargné le pire.

En dépit de tous mes points d'appui, il m'est impossible de rester seule cinq minutes, ni de vivre dans mon appartement. Je me sens comme une orpheline qui ne cherche qu'à se faire adopter. Je me déniche un foyer pour psychiatrisés où je vis pendant un an. C'est là que, pour la première fois de ma vie, j'expérimente avec plaisir une vraie vie de famille. Cela me fait suffisamment de bien pour que je sois capable, par la suite, de retourner travailler à temps partiel. Je m'encourage, ça va moins mal.

... Pas pour longtemps. Après 15 mois de consommation quotidienne de tranquillisants, les inévitables effets secondaires que je redoutais finissent fatalement par arriver. Je n'ai pas le choix, il faut arrêter même si je ne suis absolument pas prête à fonctionner sans médicaments. Me sentant incapable de traverser cette épreuve toute seule, je consulte un psychiatre spécialisé en toxicologie. Le charmant homme m'affirme qu'étant donné mon «état de dépersonnalisation» je dois non seulement maintenir les médicaments mais encore en prendre de plus puissants, des neuroleptiques et ceci pour le reste de mes jours! «Vos neurotransmetteurs sont débranchés, me dit-il et, il n'y a que la chimie pour vous arranger.»

Je dois donc me résigner à me bousiller le cerveau avec ça, m'enliser dans la pharmaco-dépendance et terminer ma vie en vrai légume? Inutile de dire que Jeannette, Lucie, Yvon, Christine, Maurice, Yolande, ... n'ont pas chômé.

---

* *Nous les alcooliques*, du même auteur.

Par quel miracle le déclic s'est-il fait en moi? Un matin, je m'éveille en pensant: «L'animal, il se trompe.» Je me procure un petit livre rouge* donnant des conseils sur la façon de procéder pour se sevrer soi-même et je me lance dans l'aventure. Vivre un sevrage, c'est franchir le cap Horn de l'angoisse. Le corps et le mental lestés de leurs artifices subissent le déferlement de tous les symptômes soi-disant contrôlés. Pendant un mois, c'est carrément le supplice. Si je suis passée au travers, c'est encore et toujours grâce au soutien humain, grâce à ce petit livre rouge dont je relis les mêmes passages aux heures, grâce aux dix paquets de gomme que je mâche frénétiquement chaque jour, grâce aussi (cela se pourrait-il?) à mon courage... ou grâce à une intervention divine que je serais trop aveugle pour détecter.

Nous voici en octobre 88. Au risque de soulever l'incrédulité, je dois dire que depuis les 20 mois où j'ai décollé à l'hôpital, je n'ai connu aucun moment de bien-être authentique, pas même avec les médicaments qui suffisaient à peine à temporiser les malaises. Vingt mois donc, à me sentir glisser, perdre pied, m'agripper à mes bouées, remonter un peu, me noyer quand même, me hisser de peine et de misère, déraper de nouveau, surnager, recaler, m'enliser encore et toujours.

Je suis exténuée: tension 80 sur 55, poids: 87 livres (sans anorexie) très faible, démarche chancelante, yeux brûlants, tête bourdonnante, aménorrhée, ostéoporose, toujours insomniaque. Je n'arrive même plus à monter un escalier d'un demi-étage, mes gestes sont incoordonnés, j'échappe, renverse, casse. Pourtant, pour le commun des mortels, rien n'y paraît. Je dois être une fameuse comédienne car on me dit que je vais bien... C'était comme ça quand j'étais petite...

Je me console en me disant qu'au moins, je suis libérée du supplice de la boulimie. Suis-je naïve! J'ignore donc jusqu'à quel point cette maladie est coriace? Sans que je sache pourquoi, la «fringale» me reprend subitement après plus d'un an de saines habitudes alimentaires. Du jour au lendemain, l'ogresse se réveille. Me revoilà à plat ventre devant Elle, enserrée de nouveau dans son corset de fer. Impossible de prendre un seul repas raisonnable: sitôt que j'ai un simple morceau de nourriture dans la bouche, «ça» repart. Le phénomène prend une telle ampleur que j'en viens presque à regretter le temps du sevrage des médicaments.

J'ai mon *overdose* de souffrance. N'importe quoi pour que ça cesse. Je ne désire pas vraiment mourir mais il ne me reste qu'une solu-

---

* Guide des médicaments du système nerveux central, publié par le groupe Auto-Psy, Québec, 1985, 226 p.

tion. J'avale tout ce qu'il me reste de comprimés et connais enfin un merveilleux moment d'euphorie: je vais disparaître. La bienheureuse mort va me libérer du mal à tout jamais.

Je refais surface réhospitalisée en psychiatrie, la bouche toute noire de charbon de bois liquide (c'est l'antidote) et ma crisse de faim qui ne m'a pas lâchée. Il n'y a vraiment rien pour en venir à bout! J'en arrive à envier les autres malades. Ils ont beau faire pipi et caca par terre, lancer de la vaisselle, se promener tout nus, hurler en fous, divaguer des incohérences, se faire attacher dans des camisoles de force, ils sont tout de même capables de me souhaiter bon appétit. Je les mordrais! Surtout qu'ils peuvent prendre, tranquillement, comme si de rien n'était, trois repas normaux par jour! Exploit que je ne réalise toujours pas après deux gros mois de soins psychiatriques.

Je me promets bien de ne plus jamais remettre les pieds dans cet hôpital, mais la bouffe m'y ramène trois semaines après ma sortie. Ne sachant plus quoi faire avec moi, «ils» me proposent Trilafon. C'est un de ces neuroleptiques si terrifiant que le toxicologue voulait me faire prendre. Avec ça, on va au moins régler le phénomène de «dépersonnalisation», je vais réintégrer mon corps, me reconnecter à l'univers sensoriel, je pourrai enfin écouter de la musique, sentir la douceur du vent sur ma peau, voir des paysages réels, avoir des loisirs, vivre comme tout le monde. Mais il y a un petit problème. J'en ai vu de ces patients traités au Trilafon, marchant au ralenti, avec la rigidité d'un soldat de plomb, incapables de plier les genoux , l'oeil vitreux, ne pouvant articuler et tremblant trop pour manger leur soupe. On m'explique que ces phénomènes sont causés par un mauvais dosage d'un deuxième médicament nécessaire pour contrer les effets secondaires immédiats et intolérables du premier. C'est le comble! Il en faut deux maintenant!

L'usage prolongé de ce beau mélange peut m'amener à l'hébétude mentale, la dépression sévève, des troubles sérieux de la vision, l'insuffisance rénale grave et une maladie *irréversible:* la dyskinésie (mouvements désordonnés par suite de spasmes musculaires ou crampes). Toutes ces horreurs vont m'arriver, c'est sûr. Mais je suis trop écoeurée d'être dédoublée et je veux, encore et toujours, partir en voyage avec ma fille! Moi, l'adepte des médecines douces, on m'aurait proposé une lobotomie que je l'aurais acceptée! Tant pis, je démissionne et me retrouve faisant ce que je voulais éviter le plus au monde. Me voilà à la queue-leu-leu avec les autres bénéficiaires, au poste des infirmières avant chaque repas, pour recevoir mes rations de poison. Jamais je n'oublierai ce cauchemar.

Ironiquement, c'est le médicament lui-même qui m'a sauvée. Un des effets possibles du Trilafon est une aggravation de l'état de dépersonnalisation. J'étais trois fois pire qu'avant! On ne peut donc compter sur la solution chimique pour me ramener et la boulimie est toujours aussi agressive. «Ils» me proposent un long internement de six mois à Robert-Giffard. Je suis tellement découragée que je vais accepter. Tant qu'à être dans la non-existence, vivre là ou ailleurs...

Et puis NON! Je réagis. Mon ressort n'est pas cassé. Je ne vais tout de même pas échouer dans cette sinistre et lugubre bâtisse grise, qui n'est rien d'autre qu'une immense concentration de misère humaine. J'en sortirais sans doute plus malade que je ne le suis... Ou peut-être jamais?

Finies les folies alimentaires! Avec cette épée de Damoclès au-dessus de la tête, je tiens le coup ... pour deux ou trois semaines... redeviens anorexique et... ainsi de suite...

LE TOURNANT

C'est grâce à toi, Yolande, que j'ai trouvé une aide efficace en la personne de Jeanne d'Arc Marleau*. Pourtant, Dieu sait si j'en avais rencontré des personnes exceptionnelles pour me porter secours. Peut-être n'étais-je pas prête à accueillir ce qu'elles avaient à m'offrir? Toujours est-il qu'avec cette femme au grand coeur, j'ai enfin accroché à la guérison.

Tu te souviens, Yolande, ta fameuse intuition te disait que c'était elle qu'il me fallait. Effectivement, elle s'y connaît la Jeanne d'Arc dans les phénomènes bizarres, les situations d'angoisse, les problèmes de santé physique ou mentale. Elle m'apprend que mon état est le résultat d'un stress hypoglycémique: mon cerveau manque d'oxygène et mes surrénales, mon pancréas, tout mon système endocrinien sont à l'envers.

Pourtant, j'ai subi multitude d'examens que j'ai réclamés auprès de nombreux spécialistes dans divers hôpitaux de Québec. Tout est parfait me dit-on. Je vais bien! Voyons donc! Être si mal dans mon corps, avoir traversé sept années de perturbations alimentaires sévères et me faire dire ça!!! Je te crois, Jeanne d'Arc.

---

* Infirmière consultante en hypoglycémie, auteure des livres: *Guide d'hygiène de vie pour hypoglycémiques* 1988 et *L'hypoglycémie, on s'en sort,* Éditions d'Arc, 1990.

Ces dérèglements physiologiques sont-ils dus à mes traumatismes d'enfance? Je sais que la douleur est inscrite dans mes cellules, que mes émotions mal assumées détraquent mes hormones autant que le sucre, que je suis une «handicapée affective» comme tu dis, Yolande. Mais c'est stérile de rester accrochée à tout cela. Agissons plutôt, me propose Jeanne d'Arc. Commençons par le plus urgent: sauver le corps. Comment le soigner? C'est simple... il suffit de bien manger!!!

Mais je le sais, moi, comment il faut manger. J'ai étudié la nutrition en autodidacte pendant cinq ans. La vitamine PP, les acides aminés, les vertus curatives de l'artichaut et les sources naturelles du zinc n'ont pas de secret pour moi. Jeanne d'Arc me procure en encadrement serré pour me permettre de reprendre pied sur le plan alimentaire en appliquant rigoureusement les principes de ses livres. Comme les forces de vie sont puissantes en nous! Après seulement un mois d'alimentation saine et bien balancée, plusieurs de mes fonctions vitales se remettent en marche, notamment les systèmes digestif et nerveux. Mon intelligence et ma mémoire reviennent. Je sens que le mécanisme de la machine infernale est inversé, la maladie perd son emprise.

Il faut dire que je n'ai pas changé uniquement mon assiette. J'ai également ouvert mes volets le matin, changé de vêtements chaque jour, recommencé à pratiquer mes techniques de respiration et de relaxation, pris de petites marches au grand air et même fait de la bicyclette! Toutes ces nouveautés ne sont pas venues d'elles-mêmes, elles m'ont demandé des efforts parfois héroïques. C'est que Jeanne d'Arc m'a convaincue qu'il est inutile de penser m'alimenter sainement de façon permanente si je persiste dans mes habitudes de vie malsaine et mes attitudes mentales destructrices.

Elle m'arrive avec un mot qui m'horripile: DISCIPLINE. Si je veux éviter Robert-Giffard, il faut bien que je me réconcilie avec cette notion et m'astreigne à respecter les lois de la nature. Je doit m'oxygéner, m'éclairer, me refaire des muscles, me détendre. Je dois également reconditionner mon mental, débloquer mes émotions, m'affirmer, éliminer la culpabilité, cesser d'être négative, penser aux autres, terminer ce que j'entreprends, faire une chose à la fois... Quel programme! Je suppose que je vais vraiment mieux car, au lieu d'en être découragée, je décide de me mettre à l'oeuvre.

Des années de souffrances et les méthodes énergiques de Jeanne d'Arc m'ont enfin ouvert la bonne voie. Je commence à percevoir ce que tu t'évertues à m'expliquer depuis huit ans, Yolande. Puisque je veux désamorcer la maladie, je dois faire quelque chose pour moi-même. Si j'attends que ça vienne tout seul, la guérison n'arrivera jamais. Un début de compréhension s'esquisse. Ton leitmotiv, «c'est l'amour qui sauve», fait tranquillement son chemin. Je pourrais peut-être essayer de m'aimer? La vie ne me demande que ça.

Simplement faire des efforts, mais sans forcer. Ne pas m'écraser ni me fouetter. Oublier le grandiose et m'attaquer aux PETITES choses, celles qui sont à ma portée. Bref, au lieu de m'envoler pour Calcutta aider mère Térésa, je peux souhaiter une bonne journée au chauffeur d'autobus. Plutôt que de m'accrocher à tout le monde, essayer de me prendre en main et tenter de réussir la chose que je juge la plus difficile: être heureuse.

Qui a dit: «Le plus grand des voyages commence par un simple pas?» Maintenant quand je me réveille, en état de panique comme toujours, je fais des exercices physiques plutôt que de me précipiter sur le téléphone ou vider le frigo. Chaque jour, je m'oblige à me laver. Ce n'est pas agréable puisque je suis toujours désincarnée, mais je me dis que si c'était le corps de quelqu'un d'autre qui nécessitait des soins, j'accepterais volontiers de m'en occuper. Pourquoi ne pas le faire pour moi? Aux repas, je m'organise pour inviter du monde et mettre une belle table. Je perçois encore la table dans le monde de l'Irréel, mais j'ai au moins le plaisir concret de recevoir mes amis. Je réussis à les écouter et à manger des quantités normales. Par contre, l'obsession mentale revient occasionnellement et il m'arrive de rechuter. Mais peu importe, je gagne du terrain.

Dans d'autres domaines de ma vie, les choses se tassent sans même que j'aie besoin d'avoir recours à la discipline. Ma plus grande phobie, celle de l'enfer s'est volatilisée. Que le diable l'emporte! Et mon sens de l'humour revient. Une autre peur, celle d'être incurable, est également disparue: je vais guérir, je le SAIS! J'accepte que ce soit long, très long. J'ai fini de me torturer avec le désir que ça arrive spontanément, aujourd'hui même. Je me rétablis à pas de tortue et tant pis. Ça prendra le temps qu'il faudra. Je parviens maintenant à dormir quatre à cinq heures par nuit sans me faire bercer par une Dalmane*. L'autre soir, je me suis surprise à chantonner. Lorsque je me regarde dans le miroir, il m'arrive de voir quelqu'un qui ressemble à Lorraine. Sur le plan humain, je me suis drôlement améliorée. Je ne suis plus rigide, dogmatique et triomphaliste comme au temps où je donnais des conseils à tout le monde, conseils qu'on ne me demandait même pas.

Mon cerveau fonctionne vraiment mieux. Moi qui n'arrivais pas à déchiffrer un calendrier il y a deux ans, je réussis à te pondre deux chapi-

* Somnifère

tres pour ton livre, Yolande. Mais comme je suis vidée, émotivement et littérairement! Est-ce que ça se sent dans mon écriture? Les mots ne viennent plus. Est-ce la fatigue ou le fait que je sois toujours plus à l'aise pour décrire la souffrance plutôt que le mieux-être?

Peut-être aussi, aurais-je voulu terminer en triomphe et crier: «Victoire, me voilà complètement guérie!» Au lieu de cela, je dois te présenter, à l'âge de 44 ans, une enfant fragile faisant ses premiers pas, une enfant encore difficile à apprivoiser, la «petite sauvage», hésitant à franchir le seuil de la porte du monde des adultes qu'elle vient d'entrouvrir.

Les gestes de tendresse me raidissent encore, j'ai un désir fou d'aimer et n'arrive pas à déverrouiller le cadenas que j'ai sur le coeur.

...Les PETITES choses, me disais-tu, Yolande? Le principe doit être aussi valable sur le plan affectif.

Je vais essayer...

Lorraine

HIVER

Il était une contrée où l'hiver durait depuis longtemps. Froid, neige et vents rendaient la vie dure au pauvre soleil. Celui-ci n'arrivait pas à chauffer assez son pays pour que neige fonde. Il savait que lui seul pouvait faire arriver le printemps. Il s'est renseigné auprès d'autres soleils. Ils lui ont tous répondu qu'ils ne pouvaient rien faire. Faible et désespéré, il en vint à douter qu'il fût soleil.

Or, un jour, un de ses amis lui a dit «N'essaie pas de réchauffer tout ton pays, réchauffe une partie seulement.» Le malheureux soleil décida de descendre chauffer un petit champ.

Il travailla toute la journée, s'endormit et le lendemain, l'herbe poussait là où la veille il y avait de la glace.

Ce jour-là, il fit tempête partout dans le pays, sauf autour du petit champ.

On dit qu'un jour, le printemps vint par tout le pays.

Yvon Boisclair

Mon ami Yvon a écrit pour moi ce texte magnifique qui accompagnait mon cadeau de Noël lors de ma deuxième hospitalisation en psychiatrie. Cela m'a fait monter les larmes aux yeux même si, à ce moment-là, je n'ai pas été capable autant qu'aujourd'hui d'en saisir toute la profondeur.

Merci à toi, Yvon.

Merci à tous ceux qui ont cru en moi.

Merci à ma mère de me regarder avec des yeux nouveaux.

Merci maman, et toi aussi, papa, de m'avoir donné une soeur comme Yolande.

Merci à ma fille de m'accepter comme je suis.

Chapitre IX

LA CODÉPENDANCE

Les autres n'ont pas
besoin de changer pour
que nous ayons l'esprit en paix.

Dr Gerald Jampolsky

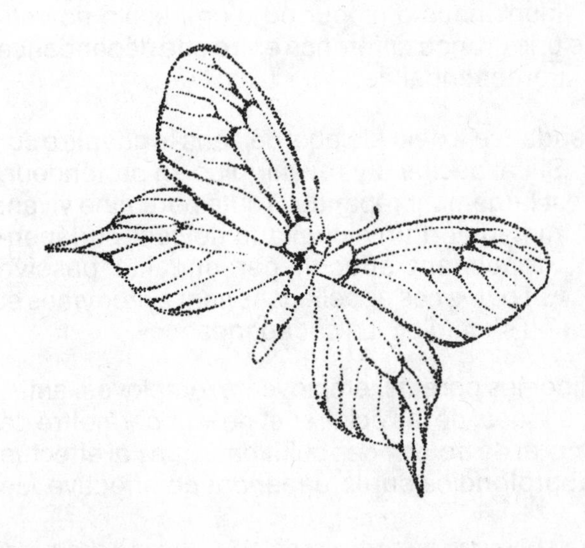

Pourquoi Lorraine mange-t-elle tant? Pourquoi une secrétaire compétente tolère-t-elle le harcèlement sexuel d'un compagnon de travail? Pourquoi y a-t-il tant de cocaïnomanes?

La réponse se trouve dans cette définition de la codépendance que donne Diane Borgia*: «La codépendance se définit comme étant une maladie névrotique qui maintient l'individu dans une dépendance aliénante dans ses rapports avec lui-même et les autres**.»

De la même façon on peut se demander pourquoi une femme va-t-elle se laisser battre pendant des années par un mari ivre et violent? Pourquoi un homme va-t-il endurer une mégère acariâtre? Pourquoi une jeune fille, belle et intelligente, supporte-t-elle les contraintes imposées par son chum maladivement jaloux? Pourquoi certains hommes iront-ils s'endetter pour satisfaire les caprices d'une maîtresse frivole et dépensière?

L'explication la plus fréquente que ces derniers offrent est la suivante:
«Je l'aime.»

Amour, que de crimes on commet en ton nom!

Soyons honnêtes. Parlons-nous d'amour ou d'un besoin névrotique? Il y a tout de même une grande différence entre une dépendance aliénante et une saine interdépendance.

Le sujet de la codépendance a déjà été abordé dans le chapitre sur les relations affectives. Si j'ai décidé d'y revenir plus en profondeur, c'est que ce problème est largement répandu. Toute personne vivant dans l'environnement immédiat d'un alcoolique devient codépendant, para-alcoolique, dépendant affectif, personnalité passive dépendante***, A.N.P.A. Toutes ces appellations sont synonymes et ce livre aurait aussi bien pu s'intituler «La codépendance».

C'est dans le but d'aider les parents, employeurs, employés, amis, conjoints, enfant d'alcooliques, de les éclairer et de leur permettre de mieux comprendre ce mal et de trouver des solutions, que j'ai effectué des recherches plus approfondies sur la dépendance affective. Je

---

* Diane Borgia, criminologue, psychothérapeute et directrice de CAFAT (centre d'aide aux familles d'alcooliques et de toxicomanes).
** *CONFRONTATION*, la revue de l'Association Émotivo-rationnelle internationale, printemps 1989, no 8, p. 19.
*** Expression du psychiatre Scott Peck qui affirme que «c'est probablement l'un des troubles les plus courants en psychiatrie». *Le chemin le moins fréquenté, Robert Laffont, 1987, p.110.*

sais maintenant qu'il faut cesser de se culpabiliser ou tenter de changer l'autre. Récemment encore, je ne connaissais pratiquement rien sur le sujet. Pourtant, en digne fille d'alcoolique, j'ai souffert de codépendance toute ma vie et laissez-moi vous dire que cette réalité a été plus pénible à vivre que mon alcoolisme.

Après mon deuxième divorce (heureusement pour eux, je n'ai pas eu d'enfants), j'ai bu de plus en plus. Pourquoi? Parce que j'ai été incapable de faire face à mon désert affectif, de supporter la solitude. En fait, j'ai bu parce que je n'arrivais pas à vivre avec moi-même. Ça, je l'ai compris quand j'ai dessaoûlé, à l'âge de 47 ans. Pauvre de moi qui croyais naïvement qu'une fois mon problème d'alcool réglé, tout irait bien. Sortie de ma bulle euphorique, les deux pieds dans la ... réalité, j'ai réalisé avec panique que le véritable problème, ce n'était pas l'alcool mais ... Yolande!

Dire que toute ma vie, j'ai changé les choses que je pouvais changer: pays, maquillages, façons de boire, robes, couleur des cheveux, compagnons. Tout, sauf moi-même. J'ai non seulement changé d'hommes mais j'ai tout mis en oeuvre pour transformer ceux que j'avais... pour leur bien évidemment. Il n'y a pas longtemps, j'ai entendu cette amusante définition de la codépendance: «C'est quelqu'un qui veut absolument donner ce qu'il n'a pas à quelqu'un qui n'en veut pas.»

Inutile de vous dire que mes relations amoureuses n'ont jamais bien marché. À 24 ans: première tentative de suicide. Après chaque rupture, je sombre dans de profondes dépressions. Il fallait bien boire... boire... et encore boire. Heureusement qu'il y a eu l'alcool, sinon il aurait fallu m'interner.

Chaque nouveau partenaire ranimait en moi l'espoir d'être heureuse mais, comme par hasard, je ne tombais jamais sur le bon. Je me vois encore assise dans mon grand salon vide, me vautrant dans l'apitoiement, grugeant avec une complaisance morbide l'os du ressentiment en buvant rhum, scotch ou vodka. «Que je ne suis donc pas chanceuse! Pourquoi est-ce que je tombe toujours sur des hommes qui boivent trop, des fous, irresponsables, superficiels et volages?» Jamais il ne m'est venu à l'esprit de me demander: «Qui a choisi ce fou?» Fallait-il avoir l'ego malade! Telle que j'étais, je collectionnais mes «jumeaux identiques». On n'a jamais vu une cinq watts avec un 100 watts, n'est-ce pas? En termes plus élégants, Épictète dit: «Il ne nous arrive que nous-mêmes.»

Aujourd'hui, quand ça ne fonctionne pas à mon goût, au lieu de blâmer les autres ou les circonstances, je sais quoi faire! Je me dirige vers le miroir. En fin de compte, ma relation avec les autres n'est que le reflet de ma relation avec moi-même. C'est incroyable ce que ma vie a pu changer depuis que j'ai enfin appris à m'occuper de moi et de mes affaires, de ne plus être la victime du syndrome du sauveur. Je constate, avec plaisir, que je suis en mesure d'apporter une aide vraiment efficace à ceux et celles qui en ont véritablement besoin. J'ai également appris à faire la différence entre la personne qui veut réellement s'aider et ceux qui se cherchent un remorqueur. Je ferai l'impossible pour aider les premiers et je fuis les seconds comme la peste. Ces siphonneux d'énergie auront ma peau, si je les laisse faire.

Et les relations affectives dans tout cela? Pour le moment je vis seule. Je suis enfin capable de vivre seule, avec moi-même.

Au cours de mes recherches sur la codépendance, j'ai découvert que certaines caractéristiques se retrouvent chez toutes les personnes qui vivent auprès des alcooliques. Ceci s'applique plus particulièrement aux conjoints.

CARACTÉRISTIQUES*

1) Nous nous sentons constamment responsables du bien-être des autres.
2) Quand un proche a des problèmes, nous ressentons pitié, angoisse et anxiété.
3) Nous ne pouvons nous empêcher de donner des conseils non sollicités, incapables de nous mêler de nos affaires.
4) Nous anticipons les besoins des autres.
5) Nous ne comprenons pas pourquoi les autres ne nous rendent pas la pareille.
6) Nous disons oui quand nous avons envie de dire non, en faisons plus que les autres et exécutons les tâches à leur place.
7) Tout en sachant ce qui est bon pour nous, nous ne nous le permettons pas.
8) Les besoins des autres passent avant les nôtres.
9) Nous ne nous élevons jamais contre les injustices commises, sauf si c'est contre d'autres que nous.
10) Nous sommes plus heureux à nous sacrifier qu'à prendre.
11) Lorsque nous nous donnons le droit de prendre, nous nous sentons coupables.
12) Nous sommes tristes car, même si nous donnons beaucoup, personne ne nous rend la pareille.
13 Nous nous attachons à des gens aussi dépendants que nous.
14 Les gens dépendants nous trouvent irrésistibles.
15 Nous nous ennuyons à mourir s'il n'y a pas de problèmes à régler.
16 Nous sommes constamment prêts à laisser tout tomber pour aider quelqu'un en difficulté.
17 Nous nous organisons pour être constamment sous pression.
18 Nous sommes fermement convaincus que d'une certaine façon, les autres sont responsables de nous.
19 Nous avons toujours l'impression d'être victimes, non appréciés ou exploités.
20 Nous souffrons du fait que les gens sont impatients avec nous à cause de ces caractéristiques.

* Inspiré du livre *Co-dependancy No More,* Melody Beatty, Hazelden, Éditions Hazelden, 1987.

La description qui précède démontre clairement que les codépendants sont aussi dysfonctionnels que les alcooliques:

Leurs émotions sont déréglées et leurs agissements inefficaces et perturbés autant que ceux des toxicomanes. Ils ont réellement besoin d'aide. Vous trouverez en annexe II des tableaux fort éloquents pour mieux expliquer le phénomène de la codépendance. Je remercie le docteur Jean-Pierre Chiasson, du centre de traitement pour alcooliques et toxicomanes, la Clinique du nouveau départ*, d'avoir apporté cette contribution importante à ce livre.

CYCLE D'ASSUÉTUDE DE LA CODÉPENDANCE**

UTILISATION DE MOYENS ANESTHÉSIANTS

Diminution partielle et temporaire de la douleur émotive

Diminution de la capacité de critiquer ses idées croyances et perceptions

Augmentation de la douleur émotive

Diminution des habiletés et des ressources

Augmentation des dommages aux objectifs de vie

Baisse du niveau de tolérance à la frustration

Augmentation de la douleur émotive

Adaptation du cycle d'assuétude de Stanton Peel (1982)

---

* 1851, Sherbrooke est, Montréal, Québec, H2K 4L5. Tél.: 521-9023.

** Diane Borgia, *Confrontation*, la revue de L'association Émotivo-Rationnelle internationale, printemps 1989, no 8, p.24.

Voici donc la chaîne d'influence et de production des états émotifs*:

Les moyens CHIMIQUES influent sur le PHYSIQUE qui influe sur le PSYCHOLOGIQUE (idées, croyances, perception, émotions, etc.).

MOYENS ANESTHÉSIANTS: LORSQU'UTILISÉS COMPULSIVEMENT				
MOYENS CHIMIQUES	MOYENS PHYSIQUES		MOYENS PSYCHOLOGIQUES	
	EXCITANTS	RELAXANTS	INCONSCIENTS	CONSCIENTS
Alcool	Surveiller et contrôler les autres	Yoga, Gymnastique douce Relaxation	Mécanismes de défense: Déni	Méditation Contemplation Spiritualité
Drogues	Prendre les responsabilités des autres	Ventilation et expression des émotions	Justification Intellectualisation	Religion Pensée positive
Médicaments	Manger Travailler Sport, Loisirs, Sexualité, etc.		Minimisation Refoulement	

* Op.cit. p. 24.

UN BON PÈRE DE FAMILLE

«Mon fils Patrick, le deuxième de la famille, est cocaïnomane. Depuis qu'il se tient avec sa maudite gang de bums, j'ai des problèmes avec lui. Pourtant, il a eu tout ce qu'il lui fallait à la maison. Il n'a manqué de rien. Ma femme et moi sommes très unis. Nous ne nous laissons pas d'un pouce: jamais elle n'a fait un voyage sans moi et jamais je n'ai osé sortir sans elle. Je gagne honnêtement ma vie comme plombier et j'ai toujours donné le bon exemple.

«Patrick réussissait bien à l'école et, même s'il était du genre contestataire, j'envisageais le meilleur pour lui. C'est au moment où il a eu son premier job à l'âge de 19 ans, que les choses ont commencé à aller mal. Ça devait le fatiguer. Sans que je sache pourquoi, il est devenu très fermé; nos parties de cartes du samedi soir, ou le hockey que nous écoutions à la télé en famille, ne l'intéressait plus. Il passait de grandes fins de semaine enfermé dans sa chambre, ne parlant à personne. Quand le téléphone sonnait, il se garrochait dessus et parlait à voix très basse en lançant des regards traqués dans notre direction. Sa mère m'a dit qu'en faisant le ménage de sa chambre, elle a trouvé des objets bizarres: bouts de cigarettes blanches, pipes, aiguilles, papier de plomb, cuillères sales, lames de rasoir. Or, il avait un rasoir électrique. J'ai commencé à me poser des questions.

«Un jour, un de ses amis a fait une farce: «Quand Patrick éternue, ça lui coûte 200$.» Ça m'a mis la puce à l'oreille. J'ai fouillé sa chambre et trouvé des petits sacs en plastique remplis de poudre blanche cachés dans sa bibliothèque. Là, j'ai tout compris. J'ai vu ce que je n'avais pas voulu voir depuis deux ans. J'ai jeté toute cette cochonnerie dans les toilettes! Si mon pauvre fils ne pouvait s'en débarrasser par lui-même, j'allais le sauver.

«Quand mon fils est arrivé, il a filé, comme toujours, droit vers sa chambre. Quelques minutes plus tard, il en est ressorti comme une bête enragée, a hurlé, donné des coups de poing dans le mur et s'est précipité dehors. La mort dans l'âme, j'ai compris qu'il allait en acheter d'autre.

«Mais où trouvait-il donc l'argent pour payer sa coke? Déjà, il prenait beaucoup de congés de maladie. C'est à ce moment-là que ma femme m'a dit en pleurant que ses plus beaux bijoux de famille avaient disparu. La situation empirait. Quelques mois plus tard, nous recevions des appels de menaces! Les *pushers* voulaient se faire payer. Ça ne m'empêchait pas de fouiller sa chambre et de jeter sa maudite coke, quand j'en trouvais.

«Je ne reconnaissais plus mon fils. Il avait les yeux vitreux, tremblotait, tenait des propos décousus, était dangereux au volant et toute la famille était écoeurée de lui. J'ai tout essayé: menaces, promesses, larmes, injures, rien à faire. Mais j'étais sûr qu'un de ces jours, j'allais en venir à bout! J'en ai passé des nuits blanches à chercher des solutions pour Patrick. Je ne parlais que de ça à mes amis qui m'ont conseillé une maison de thérapie. Mon fils n'a pas voulu en entendre parler. Pourtant, il n'avait que 25 ans; il n'était pas trop tard.

«À la maison, ça n'était plus vivable à cause de sa violence. Ses frères et soeurs m'ont supplié de le mettre dehors. Sa mère a été obligée de prendre des antidépresseurs et, si ça continue, je ne pourrai plus travailler, tellement je suis épuisé. Mais je reste persuadé qu'à quelque part, il y a moyen que je reprenne le contrôle sur lui, tôt ou tard.

«Évidemment, je ne l'ai pas mis à la porte. Est-ce qu'on jette un chien dehors?»

Le problème de ce brave père de famille est de taille. Sa réaction de vouloir aider son fils est normale. Là où c'est moins normal, c'est que ça se fasse au détriment de sa santé et de la paix familiale. Ce plombier bien intentionné aide-t-il vraiment Patrick? Il ne réalise pas qu'il se fait complice de la toxicomanie de son fils et l'entretient dans sa maladie en lui facilitant les choses.

Pourquoi n'a-t-il pas prévenu la police quand les bijoux ont disparu? Pourquoi nourrit-il et héberge-t-il Patrick gratuitement, lui laissant plus d'argent pour se procurer sa drogue? Pourquoi sacrifie-t-il son bien-être personnel et, plus grave, celui de toute la famille? Je pense que le lecteur a clairement compris que cet homme est un codépendant. Il ne peut même pas sortir sans sa femme, se fait constamment du mauvais sang, ou prend les responsabilités de son fils. Obsédé par une volonté excessive de contrôler Patrick, il en vient à perdre le contrôle de sa propre vie. Il aurait besoin d'apprendre qu'une meilleure forme d'amour consisterait à s'affirmer, en lançant un ultimatum à son fils: «Ou tu vas te faire soigner dans un centre de thérapie, ou bien tu vas vivre ailleurs: c'est ton choix!» Cette option peut sembler radicale mais c'est un fait connu, dans les milieux bien informés, qu'empêcher un alcoolique ou un toxicomane d'atteindre les bas-fonds, ne fait qu'entretenir la maladie.

«L'amour, ce n'est pas simplement donner: c'est donner avec discernement, mais aussi parfois ne pas donner; c'est encourager judicieusement, mais aussi critiquer. C'est argumenter, se battre, exiger, pousser et retenir, en plus de réconforter. C'est diriger. Judicieusement. Et judicieusement implique un esprit de discernement qui demande plus que de l'instinct: de prendre des décisions parfois douloureuses, en tout cas toujours attentionnées et réfléchies.»*

---

* *Scott Peck, op. cit. p. 124.*

TABLEAU DES ATTITUDES ET DES COMPORTEMENTS*

Codépendant (conjoint, parents, amis)

ATTITUDES—COMPORTEMENTS	AVANTAGES	INCONVÉNIENTS
- Déni: refuse de voir la réalité - Prend de plus en plus de respon-lités (paye les comptes) - Nie la gravité du problème et ses conséquences - Contrôle, surveille, pour arrêter l'autre de consommer	- Protection temporaire contre la douleur (anesthésie) - Sécurise la personne pour un certain temps - Distrait temporairement du véri-table problème	- Ne trouve pas de solutions adéquates au problème - La situation empire - Augmentation de la tension - Épuisement
- Essaie de se rendre impeccable, «parfait» - Fait des compromis - Pose des gestes pour se faire pardonner	- Évite les reproches de l'autre - Baisse temporaire de la culpabilité - Protège l'estime de soi	- Augmentation de la tension - Augmentation de la fatigue physique - Augmentation de la frustration - Baisse de la capacité à trouver des solutions adéquates - Baisse de rendement au travail
- Camoufle le problème - Répare les gaffes - Justifie les comportements de l'autre (tél. à l'employeur) - Évite les contacts (famille / amis)	- Baisse temporaire de la culpabilité et la dépression - Protège son image - Évite d'être jugé	- Solitude - Incompréhension - Augmentation stress, fatigue - Contribue à faire progresser la maladie
- Devient obsédé par le problème - Perte d'intérêt dans la vie - Isolement (évite contacts) - Désinvestissement - Cherche les moyens d'évasion travail, médicaments	- Évasion temporaire et irréaliste	- Problèmes s'amplifient - Situation empire - Dépendance aux médicaments peut s'installer - Incompréhension des proches - Augmentation risques de maladie

* Op. cit. p. 21.

ATTITUDES—COMPORTEMENTS	AVANTAGES	INCONVÉNIENTS
- Violence verbale: menaces, colères, cris - Violence physique: envers les personnes, les objets (désir qu'il meure) (jeter produits)	- Défoulement temporaire - Donne l'impression de contrôler la situation	- Augmentation risques de blessures, mortalité - Augmentation risques de divorce/ séparation - N'apporte aucune amélioration à la situation
- Blâme les autres, la vie, etc. - Critique - Se venge de différentes façons	- Baisse temporaire culpabilité - Baisse temporaire honte - Baisse temporaire dépression	- S'apitoyer sur son sort - Ne pas chercher d'aide - Situation devient de plus en plus confuse, difficile
Démission (bas-fonds) **Ne pas admettre son incapacité**, son impuissance à régler le problème, à contrôler l'autre: Chercher encore des solutions irréalistes.	- Sauver la face	- Pas de recherche d'aide - Augmentation de la douleur émotive - Utilisation des moyens anesthésiants et reprise du cycle de la codépendance
Admettre son incapacité, son impuissance devant le problème: Cesser de contrôler l'autre et se centrer sur soi.	Devient souvent l'occasion - pour soi: de chercher de l'aide - pour l'autre: de faire quelque chose pour s'en sortir (souvent le début du rétablissement)	- Baisse des inconvénients avec le rétablissement personnel.

* Op. cit. p. 21.

UNE ÉPOUSE EXEMPLAIRE

«Comment se fait-il qu'une femme intelligente comme moi se retrouve dans un pétrin semblable? Ça fait 12 ans que ça dure. Oui, 12 années de vie commune avec Jean-Pierre. Au début, il venait de terminer ses études en design et c'était normal que je le fasse vivre afin qu'il obtienne un certificat en pédagogie pour pouvoir ensuite enseigner les arts plastique. J'avais et j'ai toujours un excellent travail d'infirmière. Mais tout ce qui comptait pour moi, c'était son succès à lui. S'il avait un échec scolaire, je déprimais à sa place. Je m'accusais de ne pas avoir fait ce qu'il fallait pour lui et m'exténuais à garder la maison archipropre, pour lui éviter de se fatiguer avec les travaux ménagers.

«Je ne m'explique pas qu'il ait échoué ses examens, malgré les bons conseils que je lui donnais sur le travail intellectuel. J'ai tout fait pour l'aider. J'allais même au-devant de ses désirs et je n'ai jamais compris pourquoi il n'en faisait pas autant pour moi.

«Il aurait sans doute pu oublier l'enseignement et s'engager dans une agence comme dessinateur, mais il ne l'a pas fait. Au début, il m'a servi le prétexte que son échec scolaire l'avait trop démoralisé. Ensuite, il y a eu sa vilaine fracture de ski qui l'a empêché de fonctionner durant six mois. Puis, il est parti pour le Mexique avec des copains. Finalement, il s'est trouvé un petit travail à temps partiel qu'il a gardé cinq mois et laissé parce qu'il ne supportait pas la routine. Il n'a jamais retravaillé depuis. Il dit qu'il n'a pas la santé voulue, puis... il faut bien que quelqu'un s'occupe des enfants.

«Lorsque nous nous sommes mariés, ça m'agaçait un peu de le faire vivre mais, avec le temps, je suis devenue très impatiente. Aujourd'hui, je vis dans l'exaspération constante. Je ne suis plus capable de le sentir, tellement il me tombe sur les nerfs. Tout en lui m'irrite: sa façon de se traîner les pieds, le bruit qu'il fait en mangeant sa soupe, la couleur de ses chaussettes, sa coupe de cheveux... IL M'ÉNERVE! Quand je lave la vaisselle, j'ai envie de la lui lancer par la tête. Que voulez-vous, ce n'est sûrement pas lui qui va faire cette corvée et encore moins les enfants. Je suis pourtant une bonne mère. Comment se fait-il qu'ils ne m'aident pas plus que cela?

«Chaque fois que Jean-Pierre me demande quelque chose, j'ai envie de dire non et je me vois dire oui malgré moi. On dirait qu'il faut toujours que ses besoins passent avant les miens. Ça m'aurait fait tellement de bien, par exemple, de partir dans le Sud cet hiver. Mais sa voiture s'est brisée et il a bien fallu la faire réparer. De toute façon, je me serais sentie tellement coupable de me donner le droit de partir, que je n'aurais pas profité du voyage. On m'a offert un poste d'infirmière en chef en banlieue que j'ai refusé parce qu'il ne voulait pas déménager.

«Je passe des journées entières à rêver. Je m'entends dire: «Non, Jean-Pierre, tu n'auras pas la moitié de ma paye cette semaine... Jean-Pierre, tu travailles ou je pars... Jean-Pierre, ce n'est pas à moi de repeindre le salon...» Et quand j'arrive devant lui, je fais le mouton et me plie à tous ses caprices. J'ai une envie folle de le quitter, de vivre pour moi et pourtant je reste là, près de lui, à végéter.

«J'ai essayé, à deux ou trois reprises, de le mettre à la porte. Mais quand il n'est pas là, je vis des choses horribles: le coeur me palpite sans arrêt, j'ai des sueurs froides, je ne dors pas, perds l'appétit, travaille mal. Sitôt qu'il revient, ces symptômes disparaissent. Je ne peux pas me passer de lui; sa présence m'est indispensable et intolérable à la fois. Il est mon Gin, mon Scotch, mon Ativan. Dire que j'ai tant jugé mon frère alcoolique! Moi, je suis une droguée du sacrifice, une toxicomane du dévouement, une ivrogne du renoncement. Quand je pense qu'il fût un temps où je me croyais une épouse exemplaire!»

Catherine

La réaction générale, devant des cas comme celui-ci est de penser: «Est-elle assez niaiseuse!» Pourtant, cette femme mérite autant de compassion que son frère alcoolique, puisqu'elle subit le même genre d'esclavage. La codépendance est une maladie des émotions apprise au contact des autres. Ne l'oublions pas Catherine souffre; elle a besoin de s'oublier pour s'anesthésier. Mais ce don d'elle-même, inconsidéré et destructeur, la conduit dans l'impasse affective puisqu'il s'agit, en réalité, d'un refus de s'occuper d'elle-même qu'elle maquille souvent en vertu. Le véritable don de soi magnifique et libérateur, n'a rien de commun avec le fait de se droguer en s'oubliant pour les autres.

*«Qu'y a-t-il au tréfonds d'aimer trop, si ce n'est ce tragique désamour envers soi-même, ce déséquilibre foncier qui fait reporter sur l'autre tout l'amour que l'on n'a pas reçu, donc pas appris à se donner? *»*

---

* *Ces femmes qui aiment trop,* Robin Norwood, tome 2, Éditions Alain Stanké, 1988, p.11.

LA DÉPENDANCE AFFECTIVE

Par le docteur Nathalie Campeau*

«Docteur, j'ai mal à mon âme.» En douze ans de pratique, j'ai entendu ce cri d'innombrables fois, sous des formulations différentes.

Les dépendants affectifs sont des gens souffrants; mais leur souffrance n'est pas uniquement physique. C'est un mal familier qui les habite depuis tellement d'années qu'ils ont l'impression qu'il fait partie intégrante de leur moi. C'est la maladie des mal-aimés: on la retrouve toujours, à un degré variable, chez les personnes qui ont subi dans leur enfance de la violence physique ou psychologique et à qui on a fait vivre de la honte.

La honte, c'est le cancer de l'âme; il vous ronge aux niveaux conscient et subconscient, sournoisement, inlassablement, avec acharnement et sans pitié.

Les dépendants affectifs ont l'impression d'être incomplets ou vides; ils ressentent un trou au niveau du plexus solaire. Ce vide, ils tentent désespérément de le combler par des choses provenant de l'extérieur. Mais la honte a un appétit vorace: c'est un gouffre sans fond. Toute leur énergie passe alors à faire taire la douleur, à essayer de combler ce vide: d'ou l'émergence de comportements compulsifs. Le cycle infernal des comportements répétitifs s'installe alors.

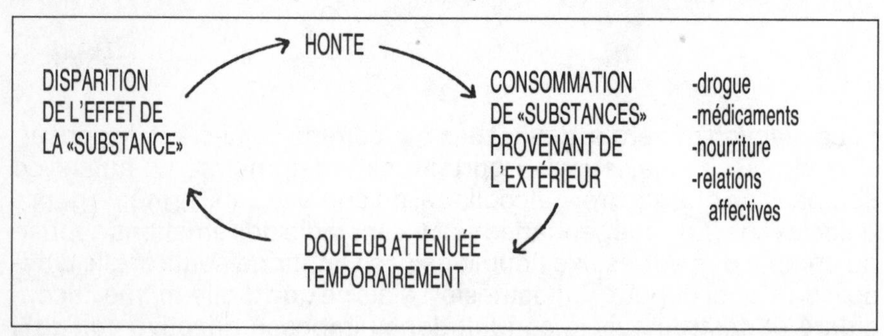

Les dépendants affectifs apprennent à consommer d'abord de façon expérimentale, puis de façon abusive, toutes sortes de substances: nourriture, drogues, alcool, relations sexuelles, travail... mais surtout ils consomment «les autres»; ils s'attendent à ce que d'autres humains les comblent, les apaisent, les remplissent. Ils ont un besoin inassouvissable des autres, que ce soient les conjoints, les enfants, les parents ou les amis; ils les mettent au centre de leur vie, les manipulent et les contrôlent dans une tentative désespérée de maintenir leurs relations en place, même si celles-ci sont autodestructrices et non satisfaisantes.

* Médecin consultant à la maison Jean Lapointe

Et les dépendants tombent malades, plus souvent et plus longtemps que la population en général. Ils deviennent malades parce que toute leur énergie passe à surnager émotivement, à se tenir la tête en dehors de l'eau. Il ne leur en reste plus pour se défendre contre les infections ou pour faire fonctionner leur organes adéquatement. Être malade est aussi souvent un «mode de vie» pour les dépendants. Ils utilisent inconsciemment la maladie pour manipuler «l'autre». Faire pitié, être blessé, être une victime est une façon très efficace de culpabiliser et d'obtenir de l'attention. Les enfants connaissent bien ce principe: «Il vaut mieux être un enfant battu qu'un enfant ignoré.»

De plus, les substances chimiques utilisées compulsivement ont chacune leurs effets destructeurs particuliers, qu'il s'agisse d'alcool, de cocaïne, de pilules pour les nerfs ou de nourriture. Avez-vous déjà ingurgité 14 000 calories en un seul repas? Ceux qui le font sont tenaillés par une faim d'absolu très intense et ils luttent pour combler un vide vertigineux.

De quelles maladies souffrent les dépendants affectifs? Quels symptômes amènent-ils en consultation chez leur médecin? Je vous répondrai: à peu près n'importe quoi. De la mauvaise grippe qui traîne trop longtemps aux cancers, de la crise de panique au burnout, des marques de sévices corporels à la tentative de suicide, du retard de croissance à l'obésité, des accidents de travail répétés aux accidents de voiture où l'alcool est incriminé, de l'ulcère d'estomac aux infections graves, des maladies du système immunitaire au SIDA.

Pour peu que le médecin averti questionne son malade sur ses relations affectives présentes et passées, il devient facile de poser un diagnostic de dépendance affective et d'offrir de l'aide adéquate; celle-ci ne vise pas uniquement à traiter le symptôme qui motive la consultation, mais s'adresse à la maladie sous-jacente: la dépendance affective.

Heureusement, cette maladie grave, voire fatale, est traitable.

La partie la plus difficile est d'amener le patient à accepter de l'aide. La négation, la minimisation, la rationalisation sont des mécanismes de défense qui empêchent le dépendant d'identifier sa maladie et d'accepter d'être traité. De plus, les dépendants affectifs ont tendance à régler les problèmes de tout le monde comme diversion pour ne pas avoir à faire face à leurs problèmes personnels. Il est très difficile de les convaincre d'entreprendre une démarche «égoïste» dont le but est de mener une vie affective harmonieuse et saine. D'une part, ils ne savent pas ce que sont des relations saines, n'en ayant jamais connues (et l'inconnu fait peur), d'autre part, leur faible estime de soi les incitent à décréter qu'ils n'y ont pas droit!

Une maladie de l'âme ne se traite pas uniquement avec l'aide limitée des médecines traditionnelles (douces ou non); les psychothérapies sont la plupart du temps insuffisantes quoique utiles dans certains cas.

Une maladie de l'âme réclame un traitement à un niveau plus profond: au niveau de l'âme, soit au niveau spirituel. Il faut demander de l'aide à Dieu, lui seul peut traiter les âmes souffrantes.

Ici, deux attitudes sont souhaitables: avoir *l'humilité* de reconnaître que seul on ne s'en sortira pas, qu'on a besoin d'aide, et le *courage* de partager*. Le partage d'expériences est une technique thérapeutique très efficace qui permet à ceux qui s'y adonnent de s'*identifier* comme étant porteurs de la même maladie, de *briser l'isolement*, et de *faire l'apprentissage* de nouveaux comportements plus sains.

Pour conclure ce chapitre, j'aimerais citer un passage du livre «*Pourquoi pas le bonheur?*»**

PROGRAMMATION DE DÉTACHEMENT ÉMOTIF

«Cette programmation de détachement émotif ne détruira pas vos sentiments mais vous aidera à être plus objectif et plus calme dans vos relations avec une ou plusieurs personnes. [...]

À lire lentement et à haute voix (si possible) durant 21 jours consécutifs, une fois par jour.

Je ne m'inquiéterai pas.
Je ne me tracasserai pas.
Je ne serai pas malheureux à cause de toi.
Je ne me ferai pas de peine à cause de toi.
Je n'aurai pas de craintes pour toi.
Je ne perdrai pas espoir, je ne te blâmerai pas.
Je ne te critiquerai pas, je ne te condamnerai pas.

---

* Des groupes de supports invitant au partage et à une démarche spirituelle ont été fondés aux États-Unis depuis 2 ans. Ils se nomment CoDA (Co-Dependents Anonymous) et ils ont été adaptés des principes de Alcooliques Anonymes. De tels groupes existent maintenant à Montréal depuis un an sous le nom de D.A.A. (Dépendants Affectifs Anonymes). Des réunions se tiennent les mercredi et samedi à 20 heures à la Maison Jean-Lapointe, 115 rue Normand dans le Vieux-Montréal.

** Ce texte publié dans le livre de Michèle Morgan, aux Éditions Libre Expression, 1979, p. 196, est d'un auteur inconnu. Le mouvement Al Anon l'utilise comme prière.

Je me rappellerai en premier lieu, en dernier lieu et toujours que tu es un enfant de Dieu, que son esprit est en toi.
Je te confierai à cet Esprit pour qu'il prenne soin de toi, qu'Il illumine ton chemin, qu'Il pourvoie à tes besoins.
Je penserai toujours à toi comme étant entouré de la présence aimante de l'Être suprême, comme étant enveloppé en ses soins attentifs, sauf et en sécurité en Lui.
Je serai patient avec toi, j'aurai confiance en toi.
Je te soutiendrai par ma foi et je te bénirai dans mes prières sachant que tu trouveras l'aide dont tu as besoin.
Je n'ai que de bons sentiments pour toi, car je suis bien disposé à te laisser vivre ta vie comme tu le désires.
Tes idées ne sont pas nécessairement mes idées, mais j'ai confiance que l'Esprit suprême en toi te conduira dans la voie la meilleure pour toi.
Je te bénirai 24 heures à la fois.

Chapitre X

ÉTATS D'ÂME

Le secret de déplacer des montagnes
et de réaliser l'impossible
t'a été donné.

Og Mandino

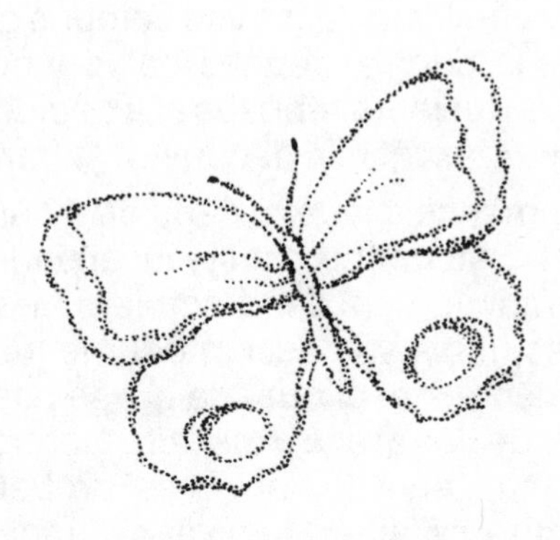

Vous avez déjà rencontré mon père, ma mère, ma soeur et ma nièce. Mais à l'extérieur de ma famille biologique, qu'arrive-t-il? Pour être franche avec vous je pense que l'une des principales raisons pour laquelle j'ai bu, c'est que je n'ai jamais eu de sentiment d'appartenance nulle part. Depuis huit ans, cependant, j'ai grandi, évolué, appris à me faire des contacts, à sortir de ma solitude et à partager. Dans ce chapitre, il me fait plaisir de vous présenter les membres de la famille spirituelle que je me suis constituée en cours de route.

«Le lien
qui t'unit à ta vraie famille
n'est pas celui du sang, mais
celui du respect et de la joie dans
*la vie de chacun des membres *.»*

Vous allez me dire que cette famille que je me suis choisie est bizarre et pleine d'estropiés, que la plus vieille a 74 ans et le plus jeune, seulement huit ans. Mais je les aime. Ils sont pathétiques, profonds, étranges, inquiétants parfois, mais combien attachants. Ils représentent tous une petite partie de moi. Ils parlent mon langage.

LE JEU DE LA VIE

Il habite une petite chambre minable, est âgé de 61 ans et vit du Bien-être social. Roland a pourtant manipulé des fortunes dans sa vie. À la belle époque des barbottes ou des *blind pigs* à Montréal, il était le grand manitou des roulettes et des tables de *black jack*. Fils d'alcoolique, élevé dans des quartiers mal famés, il a vite compris que, dans la vie, l'argent c'est le nerf de la guerre. Jeune, il a volé pour pouvoir manger. Il s'est fait prendre à plusieurs reprises et a décidé de trouver une autre façon de s'en tirer. Très tôt, il a découvert le *gambling*.

Croyez-le ou non, il a commencé à jouer à l'âge de 12 ans et n'a jamais été capable de s'arrêter. Au moment ou je lui ai parlé, ça faisait trois ans qu'il fréquentait le mouvement des Gamblers Anonymes. Il a réussi à diminuer ses pertes, mais sa passion pour le jeu l'emporte toujours. «Je n'arrive pas encore à expliquer ce qui se passe en moi. Seule une partie de poker ou de dés arrive à me faire vibrer: le reste du temps je suis comme mort et ne jouis de rien. C'est probablement dû au fait que, chez moi, je ne me suis jamais senti aimé, encadré ou protégé. En tous cas, ce que je peux vous dire, c'est que le *gambling* est une belle écoeuranterie. J'y ai perdu trois femmes qui m'ont aimé. On a saisi mes meubles et, aujourd'hui me voici échoué tout seul dans ce taudis, sans autre possession que ceci.»

---

* *Illusions: Le messie récalcitrant,* Richard Bach, Éditions J'ai lu, 1977, p.70.

Avec rage, Roland lance un jeu de cartes crasseuses sur la table...

UNE ADOLESCENTE EN DIFFICULTÉ

Les parents de Johanne se sont séparés il y a deux ans. Ses résultats scolaires dégringolent, malgré l'effort des professeurs pour motiver cette élève qui fut jadis brillante. Tracassée ou lunatique, la jeune fille de 14 ans est méconnaissable.

Que s'est-il passé? Il semble que le divorce ait été l'élément déclencheur d'un état neurasthénique qui couvait. Johanne adorait son père en dépit de ses cuites occasionnelles. Plus jeune, comme c'est souvent le cas chez les enfants qui vivent dans des foyers perturbés, elle se sentait responsable de la situation familiale. Son père, buveur périodique, attisait cette tendance en lui tenant des propos culpabilisants lorsqu'il s'enivrait: «J'endure ta mère à cause de toi» – «Si ça ne coûtait pas si cher pour vous nourrir...» La mère, elle, était très jalouse de toutes les marques d'affection que son mari donnait à sa fille: «Comment ça se fait que tu l'embrasses, *elle*, en arrivant du bureau!» Le couple généralement en bris de communication, se chicanait parfois violemment. Puis il vivait des réconciliations sexuellement bruyantes qui dérangeaient Johanne. Malgré le comportement incohérent de ses parents, l'adolescente entretenait l'illusion de pouvoir maintenir l'unité au foyer jusqu'à ce que tout éclate.

Aujourd'hui, elle est écartelée entre son père et sa mère auxquels elle sert de champ de bataille dans leurs disputes plus fréquentes depuis le divorce. Johanne vit un terrible sentiment d'échec, car elle s'était donné inconsciemment une mission de réconciliatrice. Heureusement, elle vient de rencontrer la travailleuse sociale de son école qui l'aide à découvrir les causes profondes de son problème. Cette dernière a également accepté de rencontrer les parents pour les conscientiser sur les effets nocifs de leur comportement. Grâce au dévouement de cette femme, Johanne a de bonnes chances de s'en sortir.

LA GUERRE DES MOTS

«J'ai 43 ans et c'est seulement depuis un an que je peux parler de mon passé marqué par la violence verbale. Ce que j'en ai fait des prises de conscience, avant d'en arriver à ne plus accepter l'inacceptable. Ce que j'en ai bavé, avant que mon lourd sentiment de culpabilité ne s'allège.

«À six ans, je m'en suis voulu terriblement d'avoir fait tomber une des bouteilles de bière que ma mère cachait dans la garde-robe. Si mon père avait entendu... Et malheureusement il entendait. La chicane pognait. J'étais persuadée que c'était de ma faute si papa traitait maman de tous les noms. Dans ma tête d'enfant, je n'avais qu'à endurer ces batailles sans mot dire. Ma mère m'a répété, je ne sais combien de fois: «Tu as ce que tu mérites!» Cette phrase, dite dans un contexte des plus négatifs, allait me suivre pendant des décennies. Donc, je méritais qu'on me traite de «tête dure» ou encore de «petite écervelée». Mon père, lui, aimait me répéter que j'étais une «timbrée». Lorsque j'ai voulu me marier, on m'a traitée de «tête folle», et quand j'ai divorcé, de «mère dénaturée». Par la suite j'ai décidé de vivre avec un autre homme, on m'a alors qualifiée d'«écartillée».

«Aujourd'hui, il m'est difficile d'entendre parler contre les femmes sans avoir envie de pleurer. Pendant de nombreuses années, mon compagnon a assuré sa domination par la violence verbale. J'aimais organiser des réceptions élégantes et de bon goût. Au moment où je servais le café, il me lancait: «Suces-tu?» — «Eh! grosses fesses, grouille-toi le cul!» J'avalais silencieusement l'humiliation devant les invités qui, selon leur ouverture d'esprit, riaient ou se trouvaient aussi gênés que moi. J'ai aussi enduré des «Ma chienne» — «Ma câlice», etc. — parce que j'étais persuadée que je méritais ce qui m'arrivait.

«Je n'étais pourtant rien de tout cela! Si j'avais eu un minimum de respect pour moi-même, je n'aurais pas enduré ça. Je le sais maintenant. Cette simple phrase, que ma mère me serinait, me revient: «Tu mérites ce que tu as», mais je lui donne maintenant un tout autre sens. Je mérite le beau, le bon, le meilleur de la vie! Je mérite le positif! Je mérite le bonheur, la justice et l'amour!

«C'est grâce aux abus de ce grossier personnage, que j'ai atteint mon point de saturation qui était pourtant bien bas! Je l'ai finalement quitté après 14 années de cohabitation. Depuis, j'ai appris à m'estimer. Les gens négatifs et sans scrupule de mots s'écartent automatiquement de mon chemin. Je me suis remariée récemment et mon mari m'aime et surtout me respecte. L'un ne va pas sans l'autre, mais je l'ignorais.

«Oui, elle en a fait du chemin, la «petite timbrée» à son père! Je veux te remercier Yolande de m'avoir permis de faire le bilan de ce cheminement, réalisé depuis un an. Je sais maintenant que le désespoir et le manque d'amour-propre est le lot des malotrus que l'on croise sur notre route. Je prie pour eux et leur envoie les pensées les plus positives que je puisse formuler. Dans le fond, avec leur coeur en morceaux et leurs émotions amochées, ces gens sont bien plus mal en point que moi...»

Francine

UN ENFANT DE HUIT ANS

Je me demande ce qu'est devenu ce petit garçon au regard si triste. Il y a des années de cela, alors que je buvais, j'ai été invitée à prendre un verre avec des copains chez une fille que je ne connaissais pas. Elle s'appelait Joyce et, chez elle, la boisson coulait à flot. Elle habitait un grand appartement d'allure bohème et faisait de la peinture. Bref, elle semblait très libre et évoluée. Le party marchait en grande quand, vers quatre heures de l'après-midi, un enfant d'à peu près huit ans est arrivé.

«Je vous présente mon fils, Sammy» a lancé Joyce, qui était assise sur les genoux d'un grand Noir. Puis elle s'est mise à embrasser son amant. Sammy, indécis, visiblement embarrassé, s'est dirigé vers la cuisine. Quelques minutes plus tard, des sanglots m'ont avertie que quelque chose n'allait pas. La mère, tout entière à son Scotch et à son flirt du moment, n'entendait rien. Je me suis rendue à la cuisine pour voir si je ne pouvais pas consoler ce gros chagrin d'enfant.

Sammy s'est ouvert à moi: «Personne ne m'aime à l'école, personne ne m'aime à la maison et ils ont raison: je ne suis pas gentil. Je n'apprends rien ici, ma mère ne me parle jamais. Je ne sais pas comment faire avec les autres.»

Il pleurait, pleurait... devant une pure étrangère qui ne savait que répondre...

LE BLUES DU BUSINESSMAN

Denis a été élevé dans un quartier modeste. Son père, un homme intellectuel et froid, n'a jamais réussi à obtenir une profession à la hauteur de ses ambitions démesurées. La mère, femme effacée et mielleuse, se mortifiait pour le bien-être de la famille et le leur rappellait constamment.

«Très tôt dans la vie, mon père m'a dit: «Denis, tu vas réussir! Il y a bien assez de moi qui suis un pauvre et un raté.» Cette règle établie, papa m'a talonné sans cesse pour que je sois le meilleur à l'école. Une seule chose comptait pour lui: ma carrière. M'arrivait-il de ne pas être premier de classe? Maman pleurait et papa me faisait sentir que je trahissais ses espoirs. De plus, il exerçait sur moi un maximum de pression pour que je gagne des sous, afin d'apprendre le plus tôt possible la valeur de l'argent.»

Pauvre Denis. Pouvait-il se rendre compte, si jeune, que son père frustré et complexé exigeait de lui ce qu'il n'avait pu faire lui-même? Les jérémiades de sa mère: «Après tous les sacrifices que je fais pour toi», tournaient le fer dans la plaie. Il n'y avait qu'un moyen d'être aimé: réussir!

«J'ai toujours eu beaucoup de talent pour la musique et rêvais d'être compositeur. À l'âge de 15 ans, j'ai osé m'ouvrir de ce désir à mes parents. On aurait cru que la fin du monde était arrivée. Jamais je n'ai vu mon père aussi déchaîné: c'était pratiquement une réaction de panique. Mais c'est le visage consterné de ma mère tant aimée, qui m'a bouleversé. À contrecoeur, je me suis résigné à me spécialiser en gestion d'entreprise. Jamais je n'oublierai le visage radieux de mes parents, le jour de la collation des diplômes. Après tout, ils avaient eu raison.»

Denis a travaillé au point de devenir un cerveau sans émotions. Aucun loisir, aucun moment de répit. Les seuls contacts sociaux qu'il se permet visent à augmenter son chiffre d'affaires. Inutile de préciser qu'il ne s'est jamais marié. À l'âge de 36 ans, il fait un premier infarctus. A-t-il diminué ses activités pour cela?

«Pas question que je ralentisse au moment où je viens de décrocher le contrat de ma carrière.»

Pourtant la fortune de Denis est bel et bien faite. Pourquoi tient-il à signer son contrat de mort? Il continue de mener un train d'enfer, jusqu'au moment où il est frappé par un deuxième infarctus à l'âge de 42 ans. «Mon médecin m'a dit que j'avais un pied dans la tombe et m'a rappelé que «le coffre-fort ne suit pas le corbillard». Veux, veux pas, j'ai décidé d'être raisonnable. Mais il n'y a rien à faire. Je sens une espèce de force secrète et très puissante qui me pousse sans cesse à repartir au grand galop malgré moi.

Quand je me vois aller, ça m'angoisse. Je sais que je joue avec la vie et la mort. Et quand je suis angoissé, ma réaction est de travailler encore et encore. Je ne puis sortir de ce cycle d'enfer. Dans le fond, je commence à me rendre compte que je suis incapable de vivre avec moi-même, de supporter la solitude. Parfois, l'idée me traverse l'esprit qu'en contrariant tous mes désirs, ou ceux de mes parents, j'ai raté ma vie.

Peut-être aurais-je dû être musicien?»

LES CONFIDENCES DE MINOU *

Chère Yolande,

Je m'appelle Minou et je suis le chat de la famille Tremblay. Franchement, on aurait pu me trouver un nom plus original, mais la famille est tellement *fuckée* qu'on a jamais eu beaucoup d'attention à me consacrer.

Albert, le père, boit. Il est absent plus souvent qu'autrement et, lorsqu'il vient occasionnellement «en visite» à la maison, c'est surtout pour gueuler et cogner. Madeleine, la mère, pleure tout le temps sauf quand elle reçoit François. «François a-t-elle expliqué aux enfants, c'est un cousin qui me fait beaucoup de bien!» Personnellement, je ne comprends pas pourquoi François dit que Madeleine est sa maîtresse: je pensais qu'elle était ma maîtresse à moi, le chat de la maison! C'est peut-être parce que François a l'air d'un vrai matou...

Lucie, 14 ans, se drogue et elle pique des 25¢ pour s'acheter des condoms. Elle se les procure à la distributrice automatique que les autorités de la polyvalente ont fait installer à la cafétéria, tout près des petits gâteaux Vachon. Pierrot, 8 ans, est toujours mort de peur et, chaque fois que son père arrive, il vient se cacher dans le même trou que moi. Quelle famille!

Le père a toujours la bouteille à la main: il connaît ça la soif. Pourtant, il ne m'a jamais versé une goutte de lait. Quelle injustice! La mère est pro-vie. Pourtant, elle m'a fait castrer. Quelle logique! Enfin, je me console en pensant que je n'ai plus aucun risque de me faire refiler le SIDA par la chatte du voisin.

Lucie ne semble pas trop souffrir de la situation car elle est toujours gelée jusqu'à la moëlle des os. Quant à Pierrot, il a bien hâte de se retrouver au paradis des enfants, tout comme moi j'aspire au paradis des chats. La vie sur terre, n'est peut-être pas rose pour les humains mais pour le chat d'une famille dysfonctionnelle, c'est à n'y rien comprendre. Et dire qu'un chat a sept vies! Que me réservent les six prochaines? Peut-être, une vie de chien...

Minou

---

* Minou est le pseudonyme choisi par l'humoriste Jacques Filteau pour les fins de ce livre auquel il a collaboré à titre de conseiller littéraire.

LA DANSEUSE À GOGO

J'ai fait la connaissance de «Véronika» au cours d'un reportage dans un chic cabaret de la métropole. Évidemment, je lui ai demandé la question classique, celle que tout le monde pose à ces pauvres filles qui doivent en avoir marre de toujours entendre la même ritournelle: «Qu'est-ce qu'une aussi gentille et belle fille que vous fait dans un endroit comme celui-ci?» Elle m'a crié sa réponse avec une rage mal contenue. Une réponse qui m'a saisie, m'a fait mal et que j'ai entendue bien souvent, par la suite, dans les clubs. «Vous autres, les bourgeois, les snobs, les bien-pensants, vous croyez que c'est une honte de danser nue pour gagner sa vie, n'est-ce pas? Laissez-moi vous dire que d'où je viens, avec un père qui buvait et une mère toujours partie, je me faisais pogner le c... bien jeune, dans les ruelles. J'étais mieux de me laisser faire car ainsi, on me donnait quelques 25¢ pour m'acheter un coke ou des bonbons. Les amis de mon père, aussi saouls que lui, ne se donnaient même pas la peine de m'offrir quoique ce soit et faisaient des plaisanteries obscènes sur mes «grosses boules».

«Vous ne pouvez savoir comment je filais *cheap.* Le jour où on m'a offert de danser nue dans un cabaret, j'ai hésité, bien sûr, mais j'avais tellement besoin d'argent. Vous pensez que j'étais gênée, que j'avais peur? Non, madame! Pour la première fois de ma vie, j'étais maîtresse de moi, de la situation. Je pouvais agacer les hommes, sans rien faire avec eux si ça ne me tentait pas. Enfin, j'avais le pouvoir. Subitement, je me suis sentie belle, désirable et, pour une fois dans toute ma vie, on me payait pour voir mon corps...

«Je valais quelque chose! Vous me regardez tous de haut parce que je danse nue. Mais laissez-moi vous dire une chose. Je dois à ce métier d'être valorisée pour la première fois de ma vie. Et, si c'est grâce à mon c... pourquoi pas? Je sais, vous allez dire qu'il ne faut pas valoir grand-chose pour gagner sa vie avec ses fesses. Mais avant, je valais encore moins cher.»

PHOBIES

«J'ai peur de sortir
J'ai peur de la noirceur
J'ai peur d'avoir le cancer
J'ai peur des araignées
J'ai peur de dormir
J'ai peur des microbes

J'ai peur de travailler
J'ai peur de manger
J'ai peur de respirer
J'ai peur d'aimer
J'ai peur de faire l'amour
J'ai peur des femmes
J'ai peur de moi-même
J'ai peur de Dieu

J'ai peur... d'avoir peur

J'ai peur... de ne pas avoir peur.»

PARANOÏAQUE ET MISANTHROPE

Parmi ces enfants d'alcooliques qui forment ma famille, il en est un que j'affectionne particulièrement car je lui dois de grands moments de bonheur. Son père buvait beaucoup et il fut tellement négligé dans son enfance qu'il n'a même pas terminé ses études primaires. De toute sa vie, il n'a jamais su faire une multiplication.

Devenu adulte, il se comporte toujours de façon contradictoire et incongrue. Ses relations affectives sont un vrai fiasco. Éternel adolescent, il s'enflamme pour des femmes riches, élégantes et inaccessibles. S'il imagine recevoir de l'encouragement de l'une d'entre elles, il lui fait des déclarations fougueuses et farfelues qu'il regrette le lendemain et se retrouve toujours le bec à l'eau. Comme il a tout de même besoin de vivre sa sexualité, il s'offre des aventures avec des filles faciles et vulgaires. Par la suite, il ne se pardonne pas ses écarts et... part en guerre contre ceux qui agissent comme lui. Dans les rares et courtes liaisons qu'il réussit à établir, il se montre maladroit, ardent, tyrannique et jaloux.

Sur le plan social, il s'avère extrêmement bizarre. En guerre contre l'autorité, il figure au nombre des suspects politiques dans les dossiers de la police, même s'il passe la moitié de sa vie à fréquenter la haute gomme. De nature ombrageuse, sa méfiance va jusqu'à la paranoïa: il lui arrive d'accuser ses amis fidèles et dévoués de le voler et, les abîme d'injures. Misanthrope, intolérant et dominateur, il est impitoyable pour ceux qu'il juge inférieurs.

Il passe beaucoup de temps à se lamenter sur sa situation financière, alors qu'il n'y a absolument pas lieu de s'en plaindre. Son entourage est consterné par son laisser-aller vestimentaire, dérouté par son incapacité de prendre la décision la plus insignifiante ainsi que par ses accès de colère aussi violents qu'imprévus. En plus, il est sourd comme un pot.

Pourtant, il m'envoûte. Je trouve sa présence incomparable. Il m'a tenu compagnie dans mes nuits d'insomnies, peuplé ma solitude de moments exaltants, m'a remplie de passion, d'harmonie et de pure beauté. Entre lui et moi, aucune fausse note. Génie grandiose, il a créé d'insurpassables chefs-d'oeuvre, des sonates inoubliables, la *Missa solemnis*, neuf symphonies sublimes et l'*Hymne à la joie*. Il s'appelle... Ludwig Van Beethoven*.

LA PRISE D'OTAGE

«Ma mère, c'est une martyre! Pas une «vierge et martyre». Non, une martyre tout court. Dommage, elle aurait pu se vanter de ça en plus!

Vous croyez que c'est drôle, vous, de vivre avec une sainte! Une parfaite, une qui ne se trompe jamais, une qui se croit capable d'aimer parce qu'elle en fait trop, une qui me couve, m'étouffe sous prétexte de me protéger, une qui sait si bien me culpabiliser.

De l'air! J'étouffe! Où est donc mon Ventolin?**

Qu'elle décolle, cette sangsue! L'ingrat que je suis. Après tout ce qu'elle fait pour moi. Oh oui! elle lave mon linge, cuisine mes repas, nettoie ma chambre.

Mais j'ai besoin d'une mère. Pas d'une servante, d'un *jelly fish*, ni d'un rouleau-compresseur. Plus elle est molle, plus elle m'écrabouille.

J'AI-BESOIN-D'UNE-MÈRE!... qui se tient debout par elle-même, pas à travers moi. J'étais trop petit, maman, à l'âge de quatre ans, pour te porter. Tu étais trop lourde, tu es encore trop lourde. Même si j'ai 32 ans, je te trouve lourde, lourde!

Comme je comprends mon père de boire. Ça en prend de la bière, du vin, du Scotch, du Gin, du Cognac... pour la remorquer, la parfaite. Cher papa, malgré ton alcoolisme, tu me fais moins mal qu'elle.

Ingrat, ingrat, ingrat!!! Si elle avait raison?

---

* Ces renseignements sont puisés du livre de Lucien Rebatet, *Une histoire de la musique, des origines à nos jours*, Robert Laffont, 1969, pp. 335 à 339.

** Médicament contre l'asthme

Elle a beau en faire et en faire, je me sens toujours en manque. J'ai l'impression d'être orphelin. Elle n'a aucun respect pour l'être humain que je suis. Elle ne veut pas que je sois un homme, elle ne veut pas que je me sorte de ses griffes, elle ne veut pas que je connaisse d'autres femmes.

Est-ce que j'ai le droit de lui désobéir?

C'était normal, maman, à l'âge de 16 ans, que j'aie voulu avoir une petite amie. Pourquoi t'es-tu organisée pour m'expédier en Ontario cet été-là?

C'était sûrement pour me protéger.

Comment t'y es-tu prise pour toujours évincer les femmes qui m'intéressaient?

Pourquoi est-ce que ton image se superpose toujours sur les corps des femmes qui me plaisent?

Pourquoi est-ce que je me sens psychologiquement castré?

Es-tu contente, maman? Je suis un impuissant!»

L'ABSENCE

Roger G., 74 ans, est un alcoolique rétabli grâce au mouvement des Alcooliques Anonymes. Il ne boit plus depuis 39 ans. C'est un homme charmant, qui a un sens de l'humour très développé, un homme qui n'a pas peur de dire sa façon de penser d'une façon claire et nette, quand c'est le temps, mais avec une douceur remarquable. Est-ce que ses problèmes d'alcoolisme remontent à son enfance?

«Je suis persuadé que l'hérédité joue. Mon père n'était pas alcoolique. Ma mère non plus. Mais je suis à moitié Indien et, du côté maternel, il y a plusieurs alcooliques. Le frère de maman est d'ailleurs mort des suites de son éthylisme. Par contre, même si ma mère ne buvait pas, elle prenait tellement de médicaments qu'elle n'a jamais été présente pour nous. Je me rappelle qu'à l'heure des repas elle nous servait, puis s'assoyait en retrait, ne mangeant même pas avec nous. Comme papa avait deux jobs pour réussir à joindre les deux bouts, nous sommes devenus comme des orphelins de père et de mère.

«À l'âge de six ans, j'étais tellement malheureux que j'ai tenté de quitter la maison avec mon petit frère. Il n'y avait personne pour nous retenir au foyer. J'ai beau penser et chercher, je ne me rappelle pas que ma mère m'ait jamais caressé, embrassé ou prise dans ses bras. M'aimait-elle? Elle ne me l'a jamais montré, en tout cas.

«Un jour, mon père en a eu assez et je l'ai vu organiser le médecin qui prescrivait toutes sortes de drogues à ma mère. Il l'a attrapé par la peau du cou et le fond de culotte et l'a flanqué à la porte. Il l'a littéralement passé à travers la moustiquaire. Mais le médecin est revenu encore et encore... et ma mère s'est progressivement enfermée dans sa chambre avec ses phobies. Elle avait de plus en plus peur.

«Elle est morte à l'âge de 70 ans et je ne saurais dire que je l'ai beaucoup regrettée... je ne l'ai jamais connue.»

UNE MÉNAGÈRE DÉPAREILLÉE

Danielle est âgée de 38 ans. Divorcée depuis peu, elle essaie encore de comprendre ce qui lui arrive. Fille de parents négligents et irresponsables, elle a énormément souffert d'avoir été abandonnée toute son enfance. Chez elle, pas d'alcool, de cris, de guerre, d'agressions. Le vide! Papa et maman sortaient et voyageaient beaucoup. Danielle a été confiée à des gardiennes, des tantes, sa grand-mère et aux religieuses du pensionnat. Toutes ces bonnes personnes lui ont donné de l'affection mais, privée de l'amour de ses parents, elle était incapable de recevoir celui des autres.

Rêvant d'avoir enfin un vrai foyer, Danielle se marie à 20 ans avec un homme riche et plus âgé qu'elle. «Moi qui croyais avoir trouvé l'amour romantique. Que j'étais naïve, immature... Les premiers mois d'euphorie passés, je me suis rendue compte que je n'avais guère amélioré mon sort, puisque je me retrouvais, encore une fois, toute seule dans une grande maison. Mon mari était toujours absent pour ses affaires... Seul le décor avait changé, pas le scénario.

«Le sentiment de vide que j'éprouvais était insoutenable et c'est ainsi que j'ai pris l'habitude de sortir avec des copines et, me sentant toujours délaissée après deux ans de mariage, j'ai rencontré un bel Italien dont je suis tombée follement amoureuse. Remords, culpabilité, honte, peur de mon mari. J'ai vécu une passion incroyable avec cet homme, mais il m'a quittée. J'en ai fait une dépression nerveuse.

«Je traînais constamment cette sensation de vacuité et cela m'a amenée à une drôle de compulsion: le magasinage! Dès que l'angoisse me serrait la gorge, je sortais en panique de la maison, allais faire du lèche-vitrine et flambais tout le budget familial. Le seul endroit où je m'endurais était le centre commercial; j'y passais des journées entières. Mon mari, si généreux pourtant, en est venu à ne plus accepter de financer mes folies. J'ai alors utilisé mes cartes de crédit. Il m'a obligée à les lui rendre. J'ai vendu des vêtements neufs et des bijoux pour avoir de l'argent de poche mais, finalement, il m'a fallu m'avouer battue: je ne pouvais plus magasiner.

«Comment, alors, faire face à cette douloureuse sensation d'anxiété qui ne me quittait plus? Je me suis mise à frotter, essuyer, astiquer, polir, lustrer: tout brillait comme un sou neuf dans la maison. Une vraie folle! Ce n'était plus vivable. Je faisais des crises de nerf dès qu'un invité faisait un pas de trop avec ses bottes dans l'entrée. Mon mari, excédé, m'a envoyée voir un psychiatre.

«Je suis en thérapie depuis deux ans mais ça n'a encore rien donné. La bibliothèque du spécialiste est poussiéreuse et JE NE VOIS QUE ÇA!!!

«Mon époux vient de demander le divorce et, croyez-le ou non, ça m'a soulagée. Ainsi, il n'y a plus personne pour salir ma maison. Je peux donc frotter à mon goût, sans déranger personne.»

BILL W.*
Cofondateur du mouvement des Alcooliques Anonymes

«J'ai vécu dès mon enfance des bouleversements émotifs sérieux. Je vivais dans un foyer agité** et j'étais un enfant gauche et maladroit. [...] J'étais hypersensible et un rien me terrifiait. Cela m'a amené à croire que je n'étais pas comme les autres et que je ne le serais jamais. D'où un état dépressif qui m'a vite amené à m'isoler.

«Ces misères d'enfants (toutes dues à la peur) sont devenues insupportables et m'ont vite rendu très agressif. Je croyais que je ne trouverais ma place nulle part et je refusais d'être au second rang. En réaction, cela m'a amené à vouloir dominer dans tout ce que je faisais au travail ou dans mes loisirs. Si, à l'occasion, un échec survenait, je retombais dans le ressentiment et le découragement dont seul un autre succès pouvait me sortir. J'en suis vite venu à tout évaluer en termes de victoire ou de défaite: tout ou rien. Et ma seule satisfaction était de vaincre.

---

* Copyright (c) du grapevine AA, inc. Reproduit avec permission, *Les meilleurs articles de Bill*, pp. 12, 13. Le service de publications françaises des A.A. du Québec pour la traduction française.

** Famille alcoolique ou dysfonctionnelle?

«J'avais découvert un faux antidote pour vaincre la peur et c'est ce même pattern qui a marqué ma vie d'étudiant, de militaire, celle turbulente de courtier alcoolique qui m'a finalement amené à la dernière limite de mon bas-fonds. Rendu là, les défis ne me stimulaient plus et je ne savais plus quelle était ma plus grande crainte: vivre ou mourir. [...]

«Moi, c'est la foi que j'oppose à la peur.»

UN GIBIER DE POTENCE

«Je sais, ce n'est pas facile d'oublier une enfance malheureuse, mais on ne peut tout de même pas se servir indéfiniment de cette excuse pour justifier la délinquance ou la criminalité.» L'auteur de ces paroles, Claude Turcotte, écopait, à l'âge de 17 ans, d'une sentence exemplaire de 22 années de prison pour vol à main armée. Issu d'un milieu dysfonctionnel, il est le sixième enfant de la famille, donc, le «rebelle»*. Très jeune, il vivait sur «la Main» et gagnait un peu d'argent de poche en faisant des courses pour les prostituées. À cette époque, Timothy Leary, était à la mode avec ses merveilleux poèmes vantant les mérites des drogues psychédélique. Jimmy Hendrix et Janice Joplin furent les idoles de notre jeune adepte du *Peace and Love*.

Avec sa petite amie, il se retira sur une île déserte, près de Cap-de-la-Madeleine. Ils se sont retrouvés plus de 200 à se lancer à corps perdu dans l'utilisation de diverses drogues. «J'ai de mes amis qui sont morts d'overdoses, d'autres se sont suicidés, d'autres encore ont été tirés à bout portant. Nous faisions des concours à savoir lequel d'entre nous pourrait gober le plus de *caps* de mescaline. C'est ainsi que plusieurs ont abouti à l'hôpital, dans le coma ou restés «accrochés». Ces derniers ne sortiront jamais des instituts psychiatriques. Même si je prêchais l'amour universel, j'étais révolté, amer, contestataire, plein de violence. Il n'est donc pas étonnant que je me sois faufilé dans le monde interlope et retrouvé en prison pour les raisons que l'on sait.»

Après un an de détention, Claude commence à dégeler et se demande, avec horreur, ce qu'il fait là. Il a le choix de continuer à se droguer ou de changer complètement de vie. «Je ne me sentais pas à ma place «en dedans» et j'ai décidé de changer. Il y avait des ressources: thérapies, groupes de discussion, etc. Je me suis impliqué et, après sept années de détention, on m'a libéré pour bonne conduite.»

---

* Nous avons vu au chapitre II, les quatre rôles respectifs des enfants de familles dysfonctionnelles. S'il y a plus que quatre enfants, qu'arrive-t-il? Le cycle recommence: le cinquième sera «sauveteur», le sixième «rebelle», etc.

Claude avoue qu'à sa sortie de prison, il aurait été facile pour lui de retomber dans le même cul-de-sac. Sans travail, sans instruction, sans argent, avec un casier judiciaire... où aller? Ce qui l'a sauvé, c'est son côté «missionnaire». On lui avait souvent dit: «C'est en aidant les autres que tu vas t'en sortir» et il a appliqué ce principe à la lettre. Vivant pauvrement, il s'est dévoué corps et âme à rescaper des adolescents aux prises avec des problèmes similaires aux siens.

«Je n'hésitais pas à emmener chez moi un jeune drogué pour l'assister dans son sevrage. En cours de route, je me suis solidement documenté sur la toxicomanie. J'ai découvert plusieurs choses intéressantes. Par exemple: la marijuana, considérée drogue naturelle, contient plus de 400 substances chimiques. Les jeunes qui *sniffent* de la colle savent-ils seulement ce que ça peut faire au cerveau après trois minutes? Une seconde de trop et... quant aux adeptes de la *coke* qui pensent avoir du stock de bonne qualité parce que leur nez saigne, ils se gourent. Leur *pusher* a tout simplement coupé la poudre blanche avec de la poussière provenant de fluorescents broyés.»

Grâce à l'amour qu'il a donné aux autres, Claude a tenu le coup pendant 12 ans, à l'exception d'une brève rechute survenue il y a quatre ans.

«Peut-être qu'en arrière de ma tête, je pensais pouvoir contrôler mais – je sais que ce n'est pas une excuse – j'ai eu pas mal de difficultés. En un court laps de temps, une de mes soeurs s'est pendue et un de mes jeunes neveux s'est suicidé lui aussi. Il y avait également le fait que je ne travaillais pas. Enfin cette rechute aura servi à me convaincre qu'une fois que tu es alcoolique ou toxicomane, tu ne pourras plus jamais consommer: il faut accepter cette réalité une journée à la fois*.»

Tout ceci n'a pas empêché Claude de continuer dans sa voie: sensibiliser les jeunes aux dangers de la drogue. Graduellement il s'est bâti une réputation et est devenu très en demande. Par exemple, il a donné au moins 125 conférences dans les écoles devant plus de 14 000 personnes, en l'espace de 15 mois. Le tout bénévolement. La réputation de Claude grandissant toujours, un important groupe d'hommes d'affaires a été ému et impressionné par sa générosité et sa détermination. Ils ont décidé de mettre sur pied une association à but non lucratif qui a pour nom: Fondation Claude-Turcotte.

---

* Extrait d'une entrevue parue dans *Le Lundi* en octobre 1988.

Claude vit toujours du «B.S.», mais il est un membre utile et productif de la société. Il a évité à une quantité innombrable de jeunes de tomber dans les mêmes ornières que lui. Il effectue un travail de géant, contribuant ainsi à relever le niveau de conscience de la société. Son rayonnement est extraordinaire.

Pas mal pour un «criminel irrécupérable».

UNE GRAND-MÈRE ALCOOLIQUE

J'ai fait la connaissance de Marie-Ange il y a sept ans déjà. Son regard bleu, d'une luminosité presque insoutenable, reflétait une qualité de vie intérieure peu commune. Cette femme, visiblement harmonieuse et pacifiée, m'a fascinée. Il m'est revenu des bribes de notre conversation en rédigeant ce livre, bribes que j'aimerais partager avec vous. À l'âge de 74 ans donc, Marie-Ange avait une vingtaine d'années de sobriété. Elle me parlait de sa vie spirituelle, de son Dieu d'amour comme d'un grand copain de toujours. Elle-même née de parents alcooliques, avait été battue et élevée dans une maison où la dépression chevauchait la paranoïa. Elle a épousé un alcoolique, divorcé, puis s'est remariée avec un autre alcoolique. Bref, sa vie fut un véritable film d'horreur.

Ce qui lui a fait le plus mal, c'est le jour où elle a réalisé que sa fille, Marie, était devenue non seulement alcoolique mais toxicomane. Le bébé de cette dernière a souffert le martyr dès sa naissance qui fut pour lui le moment d'un sevrage horrifiant. Avez-vous déjà vu un nouveau-né agité de tremblements et de convulsions parce qu'il est «en manque»? C'est un spectacle atroce et Marie-Ange en a pleuré toutes les larmes de son corps. Pourtant, l'événement fut salutaire car c'est ce jour-là, en voyant son petit-fils hurler, qu'elle s'est dit: «Trop c'est trop!»

Elle décide d'arrêter de boire. Il lui a fallu de l'aide, beaucoup d'aide, mais avec le mouvement des Alcooliques Anonymes, un bon conseiller spirituel et la force de la prière, elle y est arrivée.

«Mon petit-fils a maintenant cinq ans et sa mère ne se drogue plus depuis trois ans au moins. Ma fille m'a suivie dans la voie du rétablissement et nous partageons toutes deux le même cheminement spirituel. Je n'ai pourtant rien fait pour l'attirer dans cette voie! C'est mon exemple qui l'a séduite. Ce qui m'émerveille le plus, c'est de regarder évoluer mon petit-fils. L'autre jour, par exemple, il était fâché contre un copain. Au lieu de vouloir le battre – car il a tout un caractère – je l'ai vu sortir de la maison et tendre ses petites mains vers le ciel. Quelques minutes plus tard il est revenu vers nous le visage calme, serein et a dit: «Au lieu de me fâcher et de donner un coup de pied à Paulo, j'ai demandé au bon Dieu de prendre ma colère et elle est partie.» Ravi il s'est mis à rire et s'est jeté dans mes bras.

«En silence, nous avons savouré un délicieux moment de tendresse. Mon coeur a poussé un soupir de soulagement: après quatre générations d'alcoolisme, l'amour triomphe.»

Marie-Ange est morte paisiblement, dans son sommeil, y a quelques mois. Que son âme repose en paix!

COUP DE CHAPEAU

Je ne saurais terminer ce chapitre sans rendre un hommage bien mérité aux enfants de Jean-François que vous avez rencontrés au chapitre III. Au moment où j'ai fait leur connaissance, ils commençaient à réaliser l'ampleur des dégâts, mais leur volonté d'être heureux l'a emporté sur les images négatives du passé. Ils ont décidé de pardonner sans condition et de reconstruire leur vie de famille pour assurer à leurs enfants un sort meilleur. Plus jeunes, ils ont étés séparés, aujourd'hui, ils sont réunis dans un merveilleux esprit d'entraide. Leur exemple est une inspiration pour moi.

Pierre, Louise, Marie-France (j'inclus Bernard), vous représentez la Vie, l'espoir de jours meilleurs pour tous les enfants d'alcooliques.

Chapitre XI

RESSOURCES ET THÉRAPIES

Souviens-toi de tes racines
elles te donneront le courage de choisir
tes rêves la sagesse de choisir ta route...
.. et les ailes pour t'envoler.

Kimberly R. Rinehart

Nous sommes à l'ère des thérapies. Il en existe plus de 250 sortes au Québec, ce qui aide évidemment beaucoup de monde. Par contre, certains ne jurent que par la spiritualité. Je n'ai à prendre position ni pour l'un ni pour l'autre, pour la bonne raison que les deux approches, à mon avis, font plus de bien que de mal. Tout dépend de la façon dont on s'en sert.

Dans ce chapitre, je désire expliquer mon cheminement personnel et les outils dont je me suis servie pour mon rétablissement. Par la même occasion, je vais parler des toutes nouvelles ressources disponibles au Québec pour aider les familles d'alcooliques.

MON CHEMINEMENT

Vous savez qu'il y a huit ans, je prenais mon dernier verre. Il était grand temps. Mon mari, mon travail, mon chalet, ma voiture, ma belle maison étaient balayés; ma santé physique et mentale, ruinées; ma dignité d'être humain, anéantie. Je me vois encore dans ma cuisine sale, buvant du vin blanc et regardant ma bouteille de médicaments. Il y en avait assez pour m'expédier dans l'autre monde. Je me disais: «Est-ce assez bête! Je vais être obligée de me tuer alors qu'au fin fond de moi j'ai envie de vivre.» C'était la souffrance que je voulais tuer et non Yolande, mais je l'ignorais.

Que s'est-il passé ce soir-là? Au moment où j'allais poser le geste, j'ai eu la réponse à cette question qui me tourmentait depuis des années: «Qu'est-ce qui ne va pas avec moi?» Une petite voix intérieure m'a chuchoté une vérité élémentaire que je niais depuis des années: «C'est l'alcool qui est le problème.» Bien sûr, il y avait des causes profondes sous-jacentes à mon alcoolisme, notamment cet état dépressif chronique, mais il fallait aller au plus pressé: cesser de boire. Ce soir-là donc, pour la première fois depuis des années, j'ai été honnête avec moi-même. Je me suis avouée vaincue et j'ai demandé de l'aide. C'est sûrement cette admission de mon impuissance qui m'a sauvée.

Que ça m'a fait du bien d'entendre une voix humaine, une voix calme, sécurisante, qui me disait au téléphone: «Moi aussi, je suis passé par là, je suis un alcoolique comme toi. Tu peux t'en sortir comme j'ai été capable de le faire.» J'étais tellement irréaliste que, croyez-le ou non, pendant une bonne heure, j'ai argumenté avec Vincent: «Je ne suis par une *vraie* alcoolique. Je bois parce que mon père... ma mère... les Anglais... mon mari...» Bref, la liste des fautifs était longue.

J'ai oublié ce que m'a dit Vincent, sauf une phrase. Une seule phrase qui a pénétré, par je ne sais quel miracle, dans ma pauvre tête embrumée par les vapeurs du désespoir. Ces mots ont été l'étincelle, le petit rayon, la porte qui s'entrouvrait. Pour ceux qui souffrent encore, je vous l'offre: «Tu as le droit d'être heureuse, toi aussi.»

Être heureuse, moi? Mais quel étrange langage parlait donc cet homme? Comme si on pouvait choisir d'être heureux! Pour moi qui avais toujours pâti sous le fardeau de la vie, cette notion était ahurissante. À la fin de notre conversation, Vincent, conscient de la gravité de mon état, m'a invitée à le rencontrer le lendemain. C'est ainsi qu'après des mois de claustration, j'ai pris la décision de mettre le nez dehors.

J'ai commencé par me laver (il était temps), m'habiller (tous mes vêtements étaient fripés) et c'est en évitant (comme toujours) de me regarder dans la glace que je me suis maquillée. Personne au monde ne peut imaginer la terreur que j'ai ressentie à l'extérieur. J'ai hésité, failli retourner en arrière, mais il y avait ma bouteille de médicaments qui m'attendait.

«Va au moins le rencontrer», me disait ma petite voix intérieure. «Entre, va te mettre à l'abri de la peine pour toujours», me disait la voix de la dépression. J'ai fait le choix d'aller de l'avant, de faire confiance à un être humain et c'est ainsi que j'ai amorcé un processus de croissance et d'épanouissement personnel. L'urgence de la vie l'avait emporté sur l'urgence de boire. Pour ceux qui se demandent comment j'ai fait pour être abstinente depuis huit ans, tout ce que je puis répondre, c'est que grâce à un renouveau spirituel, je n'ai plus soif. Il m'est donc extrêmement facile de ne pas consommer. En fait, je ne me sens pas privée, mais libérée.

Maintenant, je peux vivre sans cigarette (je fumais trois gros paquets par jour), médicaments, café, excès de sucreries. J'ajoute cependant, qu'il est essentiel de changer en profondeur, de faire travailler son médecin intérieur, sinon, l'obsession extrêmement tenace de prendre de l'alcool pourrait revenir n'importe quand. Car une fois dégrisée, les choses se sont compliquées. Tous mes démons intérieurs, autrefois chloroformés par l'alcool, ont eu beau jeu de me tourmenter. Quelle tempête! C'est par miracle que la soif ne se soit pas déclenchée. Mais je me sentais si mal dans ce nouveau face-à-face avec moi-même, qu'il m'a fallu passer à l'action et m'aventurer dans le chemin long et ardu, mais combien gratifiant, du travail sur soi.

C'est ainsi que je suis partie à la recherche de Yolande, celle que, en réalité, je n'avais jamais connue. Au fur et à mesure de ma progression, j'ai vu mon portrait émerger. Sous la rage, la violence, la délinquance sénile, la peur, la frigidité, la culpabilité, la tristesse, le manque d'identité, les pensées suicidaires, il y avait... surprise... une fille assez sympathique, ma foi, une fille que j'ai pris plaisir à découvrir.

En bonne fille d'alcoolique que je suis, j'ai décidé de «m'autothérapeutiser», si vous me pardonnez l'expression. Ce n'est pas à conseiller car cela a provoqué chez moi de violentes réactions psychosomatiques. Je ne suggère à personne d'entreprendre un tel périple seul. Pourquoi? Parce que, lorsque notre tête est mal programmée, on se pose les mauvaises questions et on se donne les mauvaises réponses. Il vaut mieux se faire accompagner par un ami sûr, un parrain, un prêtre, un médecin, un psychothérapeute, ou un intervenant en toxicomanie. L'important, c'est que vous vous sentiez en confiance avec cette personne.

J'ai l'intention de parler plus longuement de mon évolution spirituelle dans le dernier chapitre de ce livre. Pour le moment, je vais partager avec vous les moyens concrets que j'ai utilisés pour me remettre au monde.

1-La thérapie de groupe

Si je n'ai pas eu le réflexe de retourner boire, je le dois au soutien d'un groupe. Dans sa réflexion sur le pardon, Jacques T. souligne l'importance du groupe quel qu'il soit. Ce n'est pas par plaisir que j'ai commencé à y aller. Mais c'était ça ou... Avec le temps, j'ai fini par me sentir en sécurité avec ces gens qui me comprenaient et m'acceptaient telle que je suis. J'avais enfin un sentiment d'appartenance, je n'étais plus seule. Sans le savoir, j'étais devenue perméable aux énergies positives que le groupe véhiculait, ma peur a diminué, mes défenses sont tombées et j'ai pu faire face à la réalité.

Le groupe a été comme une école pour moi et c'est grâce à lui que j'ai entrepris ma rééducation. Il a soutenu mon espoir en me proposant des modèles de gens rétablis capables de dédramatiser, vivre dans la confiance et de s'exprimer sainement sans lancer de doubles messages.

2-L'inventaire

Le groupe, c'est bien beau. Mais il ne pouvait faire les choses à ma place. Il me fallait donc entreprendre un travail personnel. J'ai commencé par le commencement: faire un bon inventaire. Comme le propriétaire d'une maison dévastée par le feu et qui en fait le tour pour en évaluer les dégâts, j'ai fait le bilan de mes avoirs et de mes manques. Je ne parle pas ici de me culpabiliser ou me chercher des poux. J'ai tout simplement noté, sur une feuille de papier quadrillé, tout ce qui m'empêchait de m'épanouir ou d'être heureuse. Le soir avant de me coucher, je coche + ou – selon ce qui a été bien ou mal. Puis, je fais une courte prière à Dieu, lui demandant de m'aider à m'améliorer.

Ça n'a l'air de rien comme ça et je n'étais pas trop convaincue du bien-fondé de cette démarche, mais en peu de temps j'ai vu des changements importants s'accomplir. Grâce à cette méthode de reprogrammation du subconscient, je me suis complètement guérie de ma timidité maladive, entre autres choses. Vous me direz que c'est bien beau de se reprogrammer, mais que tout ceci n'est-il pas l'équivalent d'un lavage de cerveau? Bien que je n'aime pas ce terme, je crois que c'est exactement ce qu'il me fallait: débarrasser mon crâne des parasites qu'on y avait implantés, faire le ménage dans les idées nuisibles qui avaient été semées et éliminer les conditionnements négatifs.

3-Les aide-mémoire

Un autre moyen pour m'aider à changer mes cassettes mentales, m'a été donné par Martha Crampton, directrice fondatrice du Centre québécois de psychosynthèse où j'ai déjà travaillé. Nous déplorons souvent le fait que nos éducateurs nous aient inculqué une façon de penser assez négative. Par exemple: «On est nés pour un p'tit pain.» Si l'on veut se débarrasser avec raison, de cette notion indésirable, il suffit d'inscrire, sur petit carton, la pensée contraire: «Je dis bienvenue à l'abondance.» J'ai rédigé autant de cartons qu'il y avait de concepts à changer, en excluant mes aspects négatifs. Ainsi, j'ai écrit «humilité» pour combattre l'orgueil. Le matin, je pige une carte au hasard et la place bien en vue pour la voir souvent dans la journée. Pendant que je vaque à mes activités, le message s'enregistre de façon quasi subliminale. Certaines personnes ne seront pas d'accord avec cette technique, mais je suis persuadée que la lumière l'emporte toujours sur les ténèbres et le positif, sur le négatif.

4-Le journal intime

Il y a peu de choses à dire sur cette méthode puisque tout le monde la connaît et sait que c'est bon. Mais qui le fait? Dans mon cas, l'écriture m'a permis de reprendre contact avec des émotions enfouies et de les exprimer sans me faire trop de mal ou blesser les autres. J'ajoute qu'il est important d'attendre un bon laps de temps avant de se relire, afin de ne pas réintégrer le venin dont on s'est débarrassé. De plus, en se relisant plus tard, il est encourageant de mesurer le chemin parcouru.

5-Le recours à l'enfant

Il s'agit de retracer une photo de nous lorsque nous étions enfant. Vous me voyez ici, à l'âge de cinq ans. Dans l'embarras, on consulte l'enfant et on laisse monter les réponses qui viennent du dedans. L'efficacité de cette technique m'a stupéfaite: l'enfant en nous sait tout.

Je me suis également inspirée d'un livre extrêmement bien fait* qui m'a permis de prendre contact avec l'enfant blessée que je portais en moi. L'auteur suggère que nous écrivions à cet enfant. Je l'ai fait et voici ce que ça a donné.

Chère petite Yolande,

T'ai-je jamais dit combien je t'aimais et combien j'ai toujours voulu te prendre dans mes bras pour te consoler? Je sais que tu as peur, que tu n'es pas capable de faire confiance, mais je ne te veux que du bien.

La grande Yolande

Après avoir écrit cette lettre, j'ai ressenti une envie de pleurer et j'ai décidé de me répondre en écrivant de la main gauche (ceci est très important).

CHÈRE GRANDE YOLANDE

JE SUIS CONTENTE QUE TU ME DISES QUE TU M'AIMES. ÇA ME FAIT DU BIEN. VEUX-TU JOUER AVEC MOI?

LA PETITE

---

* Wayne Krittsberg, *The Adult Children of Alcoholics Syndrome — from discovery to recovery*, Health Communications, Inc. 1985.

On peut avoir une correspondance régulière avec l'enfant blessé et c'est étonnant de voir tout ce qui peut sortir du coeur et s'exprimer enfin.

6-La découverte de nos racines

Si on veut savoir qui on est, il est bon de savoir d'où l'on vient. J'ai pris le temps de retracer mes origines, ce qui m'a permis de connaître les facteurs héréditaires et comportementaux qui me conditionnent. Ainsi, la maladie m'a paru moins apeurante et j'ai pu l'apprivoiser plus facilement.

En examinant la famille de mon défunt père, j'ai découvert que mon grand-père, lui-même extrêmement violent et dépressif, était enfant d'alcoolique. Les deux frères de papa, angoissés et anxieux mais non alcooliques, sont morts très jeunes de crises cardiaques. Quand on est au maximum de stress tout le temps... Sa soeur, Irma, a été internée je ne sais plus combien de fois. Béatrice est morte d'une overdose et Marguerite souffrait de délire religieux.

Du côté de ma mère, ça va mieux, mais en fouillant, j'ai tout de même appris que sa mère était fille d'alcoolique. Voilà qui explique sa codépendance et son choix d'épouser un homme qui avait le potentiel pour devenir alcoolique. Dire que nous en avons tant voulu à nos parents! Si l'on s'arrête pour bien y penser, allons-nous haïr aussi nos oncles, nos tantes, nos grands-parents et nos arrière grands-parents? Si l'on veut raisonner de cette façon, pourquoi ne pas haïr aussi ceux qui ont le cancer ou le diabète?

7-La psychothérapie

Finalement, j'ai décidé d'aller consulter Nicole Latourelle, psychiatre, afin de me faire aider de façon professionnelle. Je l'ai haïe dès le début. Imaginez! Elle n'apportait pas de solution à mes problèmes. Mais je l'ai revue, sans doute pour cette même raison que je ne suis pas retournée dans mon sous-sol vers ma bouteille de médicaments.

Cette thérapie m'a aidée à reprendre contact avec plusieurs émotions refoulées depuis fort longtemps. J'ai passé des nuits blanches, assommée, terrifiée par l'ampleur des dommages faits à la belle petite fille que j'avais été. La violence des sentiments qui fusaient m'ont virée sens dessus dessous. Pendant des mois, je me suis sentie emportée par une vague de rage, un raz-de-marée de colère, une tornade de pensées meurtrières, un cyclone de destruction et de vengeance. Que se cachait-il derrière ce geyser fulminant? L'immense détresse d'une enfant au coeur blessé. Combien de fois suis-je sortie du bureau de ma psychiatre le visage bouffi, camouflée derrière de grosses lunettes noires (comme dans le temps où je buvais)? Je tiens ici à souligner la qualité d'écoute de Nicole qui a été assez sage pour ne pas me proposer de prendre des médicaments.

Faut-il réellement déterrer son passé? Nous le traînons avec nous de toute façon. Il est inscrit dans nos larmes d'enfant, dans notre chair, dans notre âme. Nous ne pouvons l'oublier, ça ne s'oublie pas, mais nous pouvons laisser derrière nous la souffrance qui l'accompagne. Je me sens comme un soldat qui revient de la guerre. Je me sens fatiguée, épuisée, blessée mais, quand je regarde ce champ de bataille (mon enfance) jonché de débris, je me dis avec fierté: «Je l'ai traversé; j'y ai peut-être laissé des morçeaux, mais je suis passée à travers.»

Je puis dire maintenant que ça valait la peine de faire tant d'efforts. Dire que j'ai tant ri de ma soeur qui passait son temps chez toutes sorte de «psy». Tout ce travail m'a permis de devenir tellement plus en acceptation de moi-même, en possession de mes moyens et moins à la merci de mes émotions. Je suis fière de moi et ce n'est pas de l'orgueil. J'ai rebâti mon estime de moi, je sais faire la différence entre mes vrais et mes faux besoins, j'ai enfin appris à agir au lieu de réagir. Je peux maintenant transgresser les lois qui ont régi mon enfance: la rigidité, le silence, le déni et l'isolement. Seulement les personnes qui ont vécu cela peuvent comprendre jusqu'à quel point il peut être paniquant de passer outre aux injonctions muettes ou verbales des parents.

J'ai relevé mon seuil de tolérance face à la frustration, mis un point final à la relation sado-masochiste que j'avais développée avec moi-même et ne sais plus (quel bonheur!) ce que le mot dépression veut dire. Je commence à ressembler à la femme que j'ai toujours voulu être, mais il y a encore, il y aura toujours beaucoup d'ouvrage à faire. Tant mieux, car c'est dans la joie et avec des énergies mieux canalisées, que j'avance dans la voie de la sérénité.

Je termine cette partie du chapitre sur les ressources et les thérapies en vous présentant deux autres enfants d'alcooliques qui, comme moi, ont traversé leur champ de bataille et travaillent pour en aider d'autres à s'en sortir.

RICHARD HOFMAN ET LE CENTRE DE CROISSANCE PERSONNELLE

Les personnes qui ont lu mon premier livre* connaissent déjà l'histoire de Richard Hofman. Fils de parents très en moyens, il n'a man-

* *Nous les alcooliques,* Éditions Le Manuscrit, 1985.

qué de rien sur le plan financier. En fait, il qualifie lui-même la maison paternelle de château et de... bordel.

Le jour où son père a quitté sa mère pour partir avec une jeune maîtresse, il a dit à Richard: «Occupe-toi de ta mère.» Le jeune garçon, sachant que tout s'achetait dans cette maison a répondu: «Je la haïs, alors paye-moi une voiture et donne-moi des cartes de crédit.»

«Marché conclu,» réplique le père et Richard se retrouve en charge d'une alcoolique très active.

«Dès l'âge de 15 ans, j'ai su ce qu'était le stress. Il y a eu toute la série de tentatives de suicides de ma mère. Elle avalait des médicaments, il fallait appeler l'ambulance et courir à l'hôpital en pleine nuit... Quelle vie!»

Un soir que Richard est arrivé très tard à la maison, il a trouvé sa mère couchée sur un banc de neige en petite robe de nuit, immobile, les yeux fixes: «Persuadé qu'elle était morte, mon premier réflexe a été d'appeler une ambulance. Mon deuxième: qu'elle crève! Mais, comme d'habiture, je l'ai sauvée.»

Par la suite, la mère de Richard a cessé de boire, mais ce dernier était devenu alcoolique. Elle a essayé de lui parler, de le raisonner: rien à faire. «Je la détestais bien trop. Avec le temps, cependant, son attrait a eu raison de ma haine et nous sommes devenus bons copains.»

Par la suite, Richard a acquis une solide formation de thérapeute et s'est intéressé, lui aussi, au nouveau mouvement américain des A.C.O.A. Il a décidé d'ouvrir un centre pour venir en aide aux Enfants Adultes d'Alcooliques et aux codépendants: le Centre de croissance personnelle. De plus, il vient tout juste de publier un livre intitulé *Addictive Personality** et il anime une émission de ligne ouverte pour les A.N.P.A. à la station de radio CJAD. Pourquoi n'aurions-nous pas la même chose en français?

Le Centre de croissance personnelle offre un programme de rétablissement basé sur les 12 étapes des Alcooliques Anonymes**. Les sujets abordés sont les suivants: comportements compulsifs et autodestructeurs; inventaire des familles d'origine; sexualité, intimité et spiritualité; structure de relations familiales saines; estime personnelle et image de soi, talents et force de vie; buts et croyances de base; équilibre des pensées et sentiments. Ces thèmes peuvent être étu-

---

* Carlton press, inc., New York, 1989.

** Voir page 191.

diés en externe ou en interne. Ce programme fonctionne grâce aux techniques suivantes:

- Séances individuelles et de groupes qui permettent aux participants de procéder à un examen de soi efficace en leur procurant le soutien émotif nécessaire pour surmonter leurs problèmes de dépendance.
- Inventaire guidé, conduisant à une profonde introspection pour aider à identifier les émotions cachées et en faire maison nette.
- Techniques de restructuration pour aider à transformer les perceptions et les opinions négatives en actions positives et efficaces.
- Ateliers de visualisation positive qui aideront à établir une estime personnelle et une conscience de soi nécessaire au maintien de relations saines.
- Conférences et films éducatifs.*

Pour terminer, je cite Richard Hofman: «Nous devons maintenant enseigner à notre coeur et à notre esprit la manière de communiquer efficacement avec nos semblables, si nous voulons corriger les comportements inefficaces répétés depuis notre enfance.»

DIANE BORGIA ET LE CAFAT (Centre d'Aide aux Familles d'Alcooliques et Toxicomanes)

Est-il possible pour une femme sans argent, sans instruction, avec deux enfants sur les bras, de s'en sortir? Diane Borgia, qui a aimablement consenti à nous résumer sa vie, nous explique comment y arriver.

«Mon père était alcoolique et je n'en savais rien. Pourtant, il en faisait du grabuge. Durant toute mon enfance, j'ai eu l'impression d'être assise sur un baril de poudre susceptible d'exploser à tout moment. La consigne familiale était de se taire et surtout ne pas déranger mon père. J'ai appris très jeune que n'importe quel geste innocent pouvait faire déclencher sa violence psysique et verbale. C'est ainsi que j'en suis venue à croire que la sécurité et le calme étaient fonction d'un certain contrôle des gens et de l'environnement. De plus, j'ai appris que l'amour se devait d'être payé au prix du dépassement personnel, du perfectionnisme et des larmes.

«À 19 ans, je me marie avec «un bon gars» au grand coeur, timide et gentil, tout le contraire de mon père. De cette union, sont nés deux enfants. Croyant toujours dur comme fer que le bonheur s'acquiert au

* Pour de plus amples renseignements, téléphoner au (514) 484-5830 ou écrire à: Centre de croissance personnelle, 5725, avenue Monland, Montréal, Québec. H4A 1E7.

prix de la misère et de la peine, j'assume la plupart des responsabilités du ménage. J'ai l'impression d'être la locomotive qui traîne tous les autres wagons; sans moi, rien ne fonctionne...

Mais, à la longue, je me suis fatiguée de tenir ce rôle de «Wonder Woman». Après huit ans de mariage, désabusée, et surtout désespérée de ne pouvoir m'appuyer sur une épaule solide, je propose à mon conjoint de mettre un terme à notre relation tout en demeurant sous le même toit pour les enfants.

«C'est ainsi que je me suis mise à la recherche du prince charmant qui, sur son cheval blanc, viendrait m'arracher à mes malheurs. Submergée de rêves irréalistes, meurtrie et désespérée de voir mes désirs inassouvis, je suis «tombée en amour» avec un homme aux allures de conquérant. Il représentait à mes yeux la force et le savoir-faire.

«Je quitte donc mon mari, laisse mon travail, change de ville et emmène mes enfants pour m'installer avec mon nouveau conjoint. Pendant six mois, c'est l'amour fou, la grande passion, l'euphorie totale. Mon compagnon prenait bien quelques bières avant les repas, mais j'y accordais peu d'importance. J'ignorais que sa première épouse l'avait laissé pour cause d'alcoolisme.

«Au moment où nous nous sommes associés pour l'achat d'un restaurant, ce fut le début de la descente aux enfers. Pris de panique devant les exigences du nouveau commerce, mon compagnon augmenta rapidement sa consommation d'alcool. Au bout de quelques mois, c'était la débandade générale. Pour commencer sa journée, il lui fallait un grand verre de gin pur. C'est à ce moment qu'il commença à user de violence envers moi. Les coups et les claques pleuvaient. Tant et si bien, qu'un jour j'ai dû porter un chandail à col roulé pour cacher les marques d'étranglement. Une nuit, il devient littéralement fou et menace de m'écraser une cigarette en plein visage. Mais je reste passive. Je ne sais que pardonner... comme on me l'a enseigné.

«Mon compagnon me répétait toujours la même rengaine: «Si je bois c'est de ta faute.» Les reproches ont fini par atteindre leur but et j'ai cru qu'il avait raison. J'étais convaincue qu'à force de bonne volonté et qu'en changeant tout ce qui lui déplaisait, il arrêterait de boire. Après deux ans à essayer d'être parfaite pour éviter les reproches et tenter de tout contrôler, je n'en peux plus. Pendant des mois, je souhaite la mort de mon compagnon et envisage même le suicide. Mais si je meurs, qui prendra soin de mes enfants? Ne voulant pas les abandonner, je me suis mise à la recherche d'une autre solution. C'est ainsi que j'ai appris, par hasard, l'existence d'un groupe d'entraide.

«Grâce à ces gens je comprends que ce n'est pas de ma faute si mon compagnon boit et que je ne suis pas coupable de sa maladie.

Après quelques semaines, j'accepte l'idée que je n'ai pas à CONTRÔLER la vie des autres et décide de me prendre en main. Quelques mois plus tard, c'est avec calme et sérénité que je laisse mon compagnon. Fermement décidée à être heureuse malgré les difficultés, je retrousse les manches et trouve du travail car il faut bien faire vivre les enfants.

«Puis un jour, la maladie me terrasse et je me retrouve sur l'aide sociale. Cet arrêt involontaire me permet de faire le point. Bien dans ma peau et déterminée à réussir ma vie professionnelle, je décide de retourner aux études. Dépensant de moins en moins d'énergie en émotions désagréables, je termine mon secondaire, entreprend mon cegep et décroche, après trois ans d'université, un baccalauréat en criminologie. Désirant plus que jamais améliorer mes capacités en relation d'aide auprès des familles d'alcooliques et de toxicomanes, je me spécialise en psychothérapie émotivo-rationnelle. Possédant une bonne compréhension des problèmes personnels, familiaux et sociaux liés à l'acoolisme et à la toxicomanie et mue par le désir d'en aider d'autres à améliorer leur vie, je continue mon travail auprès des conjoints et membres des familles touchés par le problème.»

C'est ainsi qu'en 1988 le premier Centre d'Aide aux Familles d'Alcooliques et Toxicomanes, le CAFAT, ouvrait ses portes à Laval.

Contrairement aux autres centres de thérapie qui traitent les problèmes de dépendance chimique, le CAFAT traite les problèmes émotifs liés à la codépendance. L'objectif du centre est d'offrir aux codépendants des outils simples et efficaces pour leur permettre d'améliorer leur vie, et ce par le biais de nombreux services: écoute téléphonique, service de consultation individuelle, familiale ou de couple, thérapie en groupe d'une fin de semaine intensive ou une session de quinze semaines, groupes d'entraide et de soutien. Ces services sont dispensés par une équipe de professionnels et de bénévoles.

Lorsqu'on sait qu'un adolescent sur 13 vit dans un foyer perturbé par l'alcoolisme ou la toxicomanie d'un parent et que 80% des alcooliques ou toxicomanes sont issus d'un tel foyer on se demande pourquoi de tels centres n'existaient pas auparavant. Comme j'en parlais dans mon introduction le déni social du problème persiste.

Se rendant compte de l'importance du besoin d'aide pour ces jeunes âgés de 12 à 18 ans, Madame Borgia a implanté un programme spécialement conçu pour eux. Ce programme comprend une fin de semaine de thérapie de 20 heures, un suivi structuré de 3 heures par semaine pour un an et l'adhésion à un club social et de loisirs. Grâce à une subvention du Club Optimiste de Laval inc., ce programme est gratuit pour les résidents de Laval. Un coût minime est demandé aux non-résidents.

Au CAFAT, le programme de thérapie offert aux codépendants est inspiré de l'approche émotivo-rationnelle du psychologue américain Albert Ellis, popularisée au Québec par Lucien Auger. Cette méthode permet d'identifier les perceptions fautives de la réalité et de les rectifier afin d'améliorer l'état émotif et de changer les comportements inadéquats*.

Voici un poème composé par Madame Borgia au tout début de son rétablissement personnel. Elle nous en fait cadeau en espérant qu'il permettra à quelqu'un dans le désespoir de croire, un tout petit peu, que le bonheur peut lui être possible.

PAIX ET SÉRÉNITÉ

Ma vie était détresse et problème
Jours de pluie et jours de peine
Mais, avec de l'aide j'ai trouvé
Un peu de paix et de sérénité.

À tous ceux et celles qui sont désespérés
Malheureux, maltraités et opprimés
Une lueur d'espoir est à votre portée
Si seulement vous acceptiez de vous faire aider.

Non, n'essayez plus de trouver
Le secret magique pour changer
Celui ou celle que vous croyez
Être l'entrave du bonheur dans votre foyer.

Mais lorsque vous aurez accepté
Que c'est vous, qui devez changer
Votre façon de vivre et de penser
Alors, seulement vous retrouverez,
La paix du coeur et la tranquillité.

N'allez pas croire que ce sera facilité
De vous améliorer et de vous aimer
Mais, le bonheur tant désiré,
Vaut certainement le prix que vous y mettrez.

---

* Pour de plus amples informations: CAFAT inc. (Centre d'Aide aux Familles d'Alcooliques et de Toxicomanes) C.P. 33, Succ. Bourassa, Montréal, H2C 3E7. Tél.: (514) 669-6262.

Les autres n'ont peut-être pas changé.
Mais ma vie s'est grandement améliorée,
Je n'ai plus de sentiment de culpabilité
Face au problème d'alcool de l'être aimé.

Je remercie mon Dieu en toute humilité
De m'avoir ainsi préservée
De cette maladie qui pourrait me pousser
À faire des choses désespérées.

Tous et toutes qui m'avez aidée,
Je voudrais vous remercier
Pour toute la compréhension et l'amour
Que vous m'avez apportée,
Toutes vos vies vous pourrez améliorer
C'est ce que je vous souhaite en toute amitié.

Je voudrais vous dire pour terminer,
De ne plus jamais désespérer,
Vous n'êtes plus seuls(es),
Plusieurs d'entre nous, maintenant mieux équipés,
Sont sûrement disposés à vous aider.

Diane Borgia

E.A.D.A.
ENFANTS ADULTES D'ALCOOLIQUES OU DE FAMILLES DYSFONCTIONNELLES)

En 1986, deux Québécoises ont appris l'existence de réunions des A.C.O.A. à Vancouver et s'y sont rendues pour s'informer de la possibilité de fonder un mouvement analogue en français au Québec. Merci Sophie et Monique. C'est ainsi que, vers la fin de cette même année, la toute première réunion des E.A.D.A. avait lieu au 1110, de la rue Saint-Alexandre au sous-sol de l'église Saint-Patrick à Montréal. Le mouvement à but non lucratif est fondé sur les 12 étapes du mouvement des Alcooliques Anonymes.

ALCOOLIQUES ANONYMES

*LES DOUZE ÉTAPES**

1. Nous avons admis que nous étions impuissants devant l'alcool, que nous avions perdu la maîtrise de nos vies.
2. Nous en sommes venus à croire qu'une Puissance Supérieure à nous-mêmes pourrait nous rendre la raison.
3. Nous avons décidé de confier notre volonté et nos vies aux soins de Dieu tel que nous Le concevions.
4. Nous avons courageusement procédé à un inventaire moral, minutieux de nous-mêmes.
5. Nous avons avoué à Dieu, à nous-mêmes et à un autre être humain la nature exacte de nos torts.
6. Nous avons pleinement consenti à ce que Dieu élimine tous ces défauts de caractère.
7. Nous Lui avons humblement demandé de faire disparaître nos déficiences.
8. Nous avons dressé une liste de toutes les personnes que nous avions lésées et consenti à leur faire amende honorable.
9. Nous avons réparé nos torts directement envers ces personnes partout où c'était possible, sauf lorsqu'en ce faisant nous pouvions leur nuire ou faire tort à d'autres.
10. Nous avons poursuivi notre inventaire personnel et promptement admis nos torts dès que nous nous en sommes aperçus.
11. Nous avons cherché par la prière et la méditation à améliorer notre contact conscient avec Dieu, tel que nous Le concevions, Lui demandant seulement pour connaître Sa volonté à notre égard et la force de l'exécuter.
12. Ayant connu un réveil spirituel comme résultat de ces étapes, nous avons alors essayé de transmettre ce message à d'autres alcooliques et de mettre en pratique ces principes dans tous les domaines de notre vie.

---

* Les Alcooliques Anonymes, New York, 1989, p. 54. (Imprimé avec la permission de A.A. World Services Inc.)

La reproduction des douze étapes ne signifie pas qu'il y ait affiliation avec le mouvement des Alcooliques Anonymes dans cet ouvrage.

Le programme des E.A.D.A.* comporte trois volets: protéger les nouveaux arrivants et les aider à faire face à leurs dénégations; procurer un réconfort aux personnes qui souffrent encore de la perte prématurée de sécurité, d'amour et de confiance; enseigner les techniques qui permettent de se reprendre en main avec douceur, respect, amour et ... humour.

Au cours des réunions, on aborde souvent le problème des émotions niées ou refoulées; ainsi le membre se libère de son passé pour les apprivoiser. Celles-ci sont conçues comme des visiteurs qui l'habiteront en permanence, à moins qu'elles ne soient exprimées en paroles ou en gestes. Son corps lui envoie souvent des messages et devient une source d'information précieuse, dans la mesure où il sait l'écouter. Si, dans le passé, il s'est dissocié de ses sentiments, il peut maintenant les accueillir et leur donner libre cours. Tout ce qu'un enfant adulte d'alcoolique se refuse comme sensation de douleur ou de tristesse, il se le refuse également en joie ou en plaisir.

La réapparition des émotions signifie qu'un processus de guérison est amorcé et que la fascination morbide qu'exercait le passé se termine. Le membre apprend à les exprimer et à se respecter en prenant possession d'un potentiel qui lui appartient. Il communique de façon directe et saine, car les émotions sont à la racine de sa sensibilité et de sa GUÉRISON.

Je n'aurais pu publier ce livre sans donner la parole à un membre des E.A.D.A. Claude est un solide gaillard, âgé de 46 ans, calme et serein, issu d'un milieu extrêmement dysfonctionnel. Il multiplie les efforts pour faire connaître le mouvement, mais ce n'est pas une tâche facile puisque la politique des relations publiques des E.A.D.A. est, comme chez les A.A., basée sur l'anonymat. Par contre, les réunions ne se déroulent pas de la même manière que celles des Alcooliques Anonymes.

• Claude, voulez-vous m'expliquer comment se déroulent ces réunions?

– Après les préliminaires, l'animateur propose un sujet de discussion. Le groupe, qui forme un cercle, médite pendant un moment, puis chacun parle à tour de rôle s'il le désire. Certains ne disent rien, d'autres pleurent et tout le monde a le droit de vivre ses émotions à sa façon. Je n'oublierai jamais la réunion où l'animateur avait proposé comme sujet: «Noël et les fêtes». Ça nous avaient «brassés» en grand.

---

* Tiré de la documentation officielle des E.A.D.A.

• N'est-ce pas gênant de raconter des choses intimes en public?

– Les groupes ne comptent jamais plus de 15 à 20 personnes et on n'est pas obligé de tout dire. C'est libre. Il n'y a aucune pression ou ingérence et personne ne commente ce que les autres disent.

• C'est, à toutes fins utiles, une thérapie de groupe?

– Oui mais qui s'adresse à un syndrome bien spécifique. C'et bien joli les thérapies individuelles mais la force du groupe, son appui et surtout son amour sont essentiels. Dans mon cas, c'est en écoutant parler les autres que le véritable déblocage s'est fait. Autrement dit, j'ai validé mes émotions dans un milieu sécurisant où je me suis senti enfin compris.

• Avez-vous déjà consulté, demandé de l'aide par le passé?

– Oui mais j'ai l'impression que mon psychologue avait confondu réussite et adaptation saine; du fait que j'obtenais de bons résultats dans mon travail de vendeur, il a cru que je n'avais pas de besoins affectifs. De plus, ça me coûtait très cher alors que chez les E.A.D.A., c'est gratuit.

• Est-ce que ça prend du temps avant que les effets bénéfiques se fassent sentir?

– Ceux qui s'attendent à un résultat immédiat seront déçus. Ça peut prendre plusieurs réunions avant que les émotions ne remontent à la surface. Tout dépend de la gravité des expériences vécues. Il est extrêmement difficile de laisser tomber les moyens de défense qui ont assuré notre survie. Dans certains cas, ça donne de gros coups et c'est la raison pour laquelle on suggère aux alcooliques ou aux toxicomanes d'avoir au moins deux années d'abstinence avant de venir aux réunions des E.A.D.A.

• Est-ce que le mouvement vous a beaucoup aidé?

– J'assiste aux réunions une fois par semaine, depuis quinze mois. C'est peu de temps investi pour arriver à de bons résultats. J'ai appris à prendre mes responsabilités envers moi-même, j'ai un niveau de conscience plus élevé et... c'est difficile à exprimer... mais j'ai comme l'impression d'avoir repris possession de ma vie. J'éprouve beaucoup de reconnaissance envers le mouvement et les membres qui m'ont tant aidé.

• Est-ce que le mouvement est religieux? Un athée peut-il en faire partie?

– La seule condition pour devenir membre est d'être un enfant d'alcoolique ou de famille dysfonctionnelle et d'être âgé de plus de 18 ans. Il n'est jamais question de religion dans le mouvement mais bien de spiritualité. Tous sont les bienvenus, y compris les agnostiques, les athées, les incroyants et les libres penseurs.

• Comment les réunions se terminent-elles?

– L'animateur annonce la clôture en demandant aux membres de se lever pour réciter, toujours en cercle, la prière de E.A.D.A.:

«Ensemble, nous réussirons ce que notre solitude rendait inaccessible. Le desespoir s'estompe. Nous pouvons maintenant compter sur plus que notre seule volonté trop souvent défaillante. Nous sommes ensemble, réunis par la grâce d'une force supérieure à la nôtre. Ensemble, nous découvrons un amour et une compréhension qui dépassent nos espérances.»*

L'ASSOCIATION QUÉBÉCOISE POUR LES ENFANTS D'ALCOOLIQUES: AQDA

L'association regroupe les personnes sensibilisées aux problèmes des enfants d'alcooliques ou issues de familles dysfonctionnelles.

Les buts de l'association sont de donner de l'information sur la nature de cette maladie, d'éduquer élèves et professeurs à tous les niveaux scolaires, ainsi que les groupes de professionnels, les intervenants en milieu de travail et les personnes responsables des ressources humaines.

Elle veut aussi promouvoir la recherche et des subventions à la recherche. Elle prévoit publier un bottin de ressources des intervenants auprès des EDA. Elle se donne aussi pour tâche de produire un dépliant explicatif ainsi qu'un journal périodique, en plus d'organiser un colloque bilingue annuel.

Pour des informations supplémentaires ou pour se procurer un formulaire d'adhésion, s'adresser à: C.P. 124, succ. F., Montréal, Qc, H3J 2K8.

En conclusion de ce chapitre, tout ce que je puis dire à tous ceux et celles qui ont peur, se désolent, désespèrent et ont envie d'abdiquer, c'est:

VOUS AVEZ TOUT CE QU'IL FAUT À L'INTÉRIEUR DE VOUS-MÊMES POUR VOUS EN SORTIR.

---

* Les personnes intéressées à se joindre aux groupes E.A.D.A. existants ou à en mettre sur pieds des nouveaux peuvent communiquer avec Roy au (514) 672-9823.

Je vous offre ma garantie inconditionnelle que les promesses qui suivent vont se réaliser si vous vous mettez à l'oeuvre dès aujourd'hui.

LES DOUZE PROMESSES DES A.N.P.A.*

1. Nous allons connaître une liberté nouvelle et un nouveau bonheur.
2. Nous ne regrettons pas le passé ni ne fermons la porte sur lui.
3. Nous comprendrons ce que signifie le mot sérénité.
4. Aussi bas que nous soyons tombés, nous verrons comment notre expérience peut profiter à d'autres.
5. Nous connaîtrons la paix.
6. Notre sentiment d'inutilité et d'apitoiement pour nous-même disparaîtra.
7. Nous nous préoccuperons de nos semblables.
8. Notre égoïsme disparaîtra.
9. Toute notre attitude et notre façon de voir les choses changeront.
10. Notre crainte des gens et de l'insécurité économique disparaîtra.
11. Nous saurons intuitivement comment faire face aux situations qui, auparavant, nous déconcertaient.
12. Nous prendrons soudainement conscience que Dieu fait pour nous ce que nous ne pouvions faire pour nous-mêmes.

* Adultes nés de parents alcooliques. Documentation A.N.P.A. de la région des Prairies.

Chapitre XII

UNE INVITATION À L'AMOUR

> ***La mesure de l'amour,***
> ***c'est d'aimer sans mesure.***
>
> ***Saint Augustin***

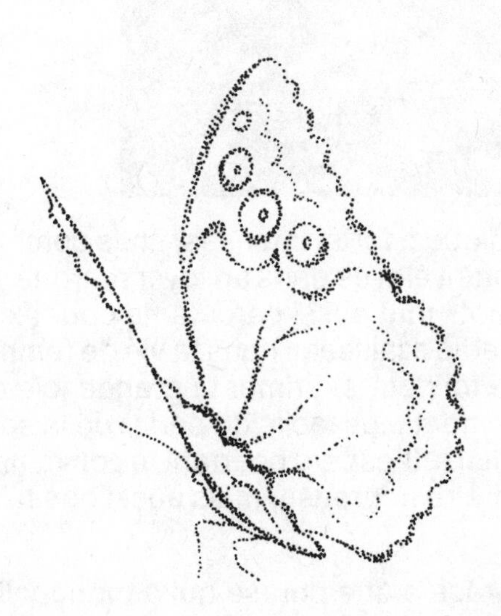

Ma chère Lorraine,

En t'écrivant, j'espère rejoindre non seulement les enfants d'alcooliques mais aussi tous les mal-aimés. Quand tu es née, maman m'a dit: «Yolande, je suis tellement heureuse de te donner une petite soeur; tu ne seras plus jamais seule dans la vie.» Ça fait longtemps que je t'attends, Lorraine. C'est avec émerveillement que j'assiste à la libération de ton âme. Ça me rappelle la fierté que je ressentais à te voir faire tes premiers pas quand tu étais petite.

Tu as su trouver des mots pudiques, forts, intenses, mais combien vrais pour exprimer ta peine d'enfant élevée dans un foyer marqué par l'alcoolisme. Tu as trouvé des mots tout aussi percutants pour expliquer les séquelles que cette maladie a laissées dans ta vie de femme. Aurai-je autant d'éloquence que toi pour exprimer la grande joie qui m'habite maintenant? C'est tellement plus facile de parler de la souffrance car elle nous est plus familière. J'espère pourtant te convaincre que, non seulement tu mérites d'être heureuse, mais aussi que tu en as le droit.

Je te sais sur la bonne voie grâce à une phrase qui a monopolisé mon attention dans les chapitres que tu as écrits. Cette phrase, c'est l'espoir, une bouffée d'air frais, la preuve de ta force intérieure que tu exprimes en écrivant: «Ça prend beaucoup de souffrance avant de consentir à se laisser, enfin, envahir par la grâce.» Si tu comprends cela, alors tu es sauvée, même si tu ne le sais pas encore. Il ne reste qu'à faire l'éducation de ton coeur.

Évidemment, tu as mis un cadenas sur ce coeur meurtri et tu as eu raison de le faire. C'était le prix à payer pour ta survie mais, aujourd'hui, l'état d'urgence est passé alors...

TU N'EN AS PLUS BESOIN!

Tu le sais bien, d'ailleurs, et aimerais t'en débarrasser car il est devenu plus nuisible qu'utile, n'est-ce pas? Mais comment faire car il est devenu partie intégrante de ta vie. Je le sais, je suis passée par là moi aussi. Cherchons ensemble veux-tu? Je pense que je puis t'aider. Non, ce n'est pas mon syndrome du sauveur que refait surface; en proposant de t'accompagner, je me retrouve au lieu de me perdre.

Tu as peur? Je te comprends; c'est terrifiant de s'en aller vers l'inconnu, le vide, de lâcher la douleur sur laquelle tout ton monde s'est bâti. Laisse-moi te prendre par la main, te guider vers le merveilleux chemin de l'élévation du niveau de conscience, de la plénitude, du don de soi, de la paix, de la sérénité, de la liberté et surtout de l'amour.

Il n'y a pas très longtemps, tu m'as dit: «Je te fais confiance, Yolande.» Ce fut mon plus beau cadeau après huit ans d'abstinence. Depuis deux ans et demi, j'essaie de t'encourager, d'y voir clair; je réalise avec bonheur que deux mots, les plus importants de tous à mon avis, ont réussi à pénétrer dans ton cerveau embrouillé; *faire confiance*. Je ne suis qu'un instrument mais mes efforts n'ont pas été vains.

Il est également intéressant de constater que, sans le savoir, toi aussi tu m'as aidée.

«Ceux qui n'ont apparemment rien
ont beaucoup à donner.» Mère Teresa *

Oserai-je te l'avouer aujourd'hui? Par moments, des moments heureusement rares et fugaces, mais combien pénibles, il m'est arrivé de me demander si tu allais jamais t'en sortir. Ma foi a été mise à l'épreuve et ce fut extrêmement bénéfique en ce sens qu'il m'a fallu faire des choix quant à ma façon de penser. La question qui se posait finalement était: «Dois-je faire confiance à la Vie?» Comme j'ai choisi de ne plus vivre dans le doute, la méfiance et la peur, je me répondais à tout coup: «Oui, elle va s'en sortir.» C'est cette réponse que je te donnais d'une voix assurée. Tu as senti l'accent de vérité; je ne te bercais pas de faux espoirs et c'est ainsi que tu n'as pas complètement sombré. Ces périodes de remises en question furent pénibles à vivre mais elles ont servi à renforcer ma foi. Miguel de Unamuno n'a-t-il pas écrit: *«Une foi qui ne doute pas est une foi morte* * *.»*

---

* *De la souffrance à la joie,* CERF, 1985.

** Kard Petit, *Le dictionnaire des citations du monde entier.* Marabout, 1978, p. 168.

Toujours est-il que me voilà bombardée du titre de «soeur-gourou». Comme j'endosse mal les grands honneurs... disons que je suis tout simplement ta soeur qui t'aime, qui frappe à la porte de ton coeur et te suggère d'enlever ce vilain cadenas. Je suis là pour te guider, te soutenir alors que tu fais tes premiers petits pas hésitants dans la bonne direction. Je sais jusqu'à quel point ta vie est difficile à vivre, combien elle l'a toujours été. Même bébé, tu étouffais, faisais des convulsions, ne voulais pas vivre dans pareil monde et je me disais: «Elle a bien raison!» Chose certaine, puisque tu es là, c'est que tu as quelque chose à apprendre et une mission à accomplir.

Laisse-moi cependant t'éclairer sur certains aspects de notre vie passée. Notre père t'a aimée. Je sais, il t'a ignorée, mais je veux t'expliquer pourquoi. La violence augmentait constamment à la maison et, pour t'éviter des blessures il avait été décidé, d'un commun accord avec maman, qu'il ne te parlerait même plus... dans ton intérêt. J'ai senti la grande douleur que cette décision lui avait causée mais voyant tout le mal qu'il m'avait fait, il s'est résigné.

Je réalise, en lisant ton texte, que tu ne l'as pas connu réellement car sa maladie était très avancée à ta naissance. J'ai eu la chance de le connaître avant et je désire, aujourd'hui, te présenter ce père merveilleux que nous avions. Tu lui ressembles d'ailleurs sur plusieurs points. Comme lui, tu es intelligente, avec un esprit cartésien assez spécial. Comme lui, tu es d'un perfectionnisme paralysant. Comme lui, tu es une hypersensible au grand coeur et comme lui, les bêtes préoccupations matérialistes te fatiguent.

Papa avait des yeux très bleus, comme les miens, rieurs, pétillants car il aimait jouer des tours et taquiner. C'est surtout de lui que j'ai hérité de l'amour des animaux et mon sens de l'humour. Je n'oublierai jamais cette fois où il était arrivé à l'île d'Orléans avec (surprise!) un adorable petit chien que j'ai tellement aimé. Il n'a pas connu le sort de ton infortuné Pompon. C'est papa qui m'avait également fait cadeau de Noiraud, ce chat dont tu étais si jalouse. Je suis persuadée que c'est grâce à la présence de cet animal, que j'ai conservé un peu de sanité. Ça me rappelle que papa riait de Noiraud parce que ce dernier avait «les jambes croches»...comme lui. Oui, il avait le sens de l'humour et choquait parfois par son côté rabelaisien. Je ne l'ai cependant jamais vu (sauf dans les derniers temps de son alcoolisme) faire preuve de mauvais goût, car c'était un homme élégant et raffiné.

Je n'oublierai jamais le jour où il m'a appris des chansons estudiantines françaises plutôt grivoises et ses rires devant la réaction horrifiée de maman. Il est vrai que je débitais des énormités dont je ne comprenais, évidemment, pas le sens. Tu dois te demander si je parle du même homme que celui que tu as connu. Je t'assure que je n'ai aucune difficulté à concevoir que notre mère ait pu devenir amoureuse de lui un jour.

Notre père était également un homme bon et généreux qui n'a jamais hésité à se lever en pleine nuit pour soigner ses malades. Combien de fois a-t-il oublié ses honoraires lorsqu'il visitait des pauvres?* Un cas difficile se présentait? Je l'ai vu passer des nuits entières, le nez dans ses notes et ses livres, pour tenter de trouver un remède.

Il avait à coeur la qualité de la vie et travaillait d'arrache-pied pour promouvoir la prévention dans le domaine de la santé publique. C'est grâce à lui que l'Hôpital civique s'est dépeuplé, le problème des maladies infantiles s'étant pratiquement éliminé grâce aux vaccins qu'il avait fait administrer à tous les enfants québécois d'âge scolaire. Il avait une conscience sociale rare.

Tu as parlé de son goût pour la culture et c'est vrai qu'il vibrait à la poésie, récitant Lamartine ou Verlaine avec une mémoire qui nous stupéfiait tous. De quelle façon lyrique décrivait-il Paris où il avait étudié la médecine. Juste à l'écouter, j'avais envie de partir et c'est sûrement de lui que j'ai hérité du goût de voyager. Il donnait constamment l'impression qu'il aurait été plus heureux de vivre en France, mais ça n'aurait rien changé. Je sais aujourd'hui qu'il traînait un profond malaise intérieur et qu'une cure géographique ne l'aurait pas guéri. Moi aussi de toute façon j'ai voulu être ailleurs et toi aussi, à ta manière.

J'ai vu papa te prendre dans ses bras et te bercer quand tu étais toute petite. Il ne t'a jamais dit, à ma connaissance, qu'il t'aimait. Me l'a-t-il jamais dit? L'a-t-il dit à notre mère? Je ne crois pas. Nous vivions à l'époque où un homme ne pleurait pas, ne démontrait ni tendresse, ni affection; il lui suffisait d'être un bon pourvoyeur. J'ai toujours senti cependant que ce rôle étriqué (qu'il ne souhaitait sans doute pas) allait à l'encontre de sa personnalité yin.

Pourquoi buvait-il tant que cela? Qui sait ce qui se passe dans le coeur, dans l'âme d'un homme? Que c'était pathétique de le voir, lui si brillant, se démolir, se détruire, se ruiner, s'anéantir, se supprimer, s'éliminer, se tuer à petit feu, et pourtant... N'avait-il pas épousé une charmante femme? N'exerçait-il pas une profession qu'il adorait? Sans problèmes d'argent, intelligent, avec un rang social élevé et de puissants appuis politiques, ... qu'est-il arrivé? Ça ne servirait à rien de fouiller son passé, mais j'ai su des choses indiquant qu'il ne l'a pas eu facile lui non plus dans sa jeunesse.

---

* L'assurance maladie n'était pas encore en vigueur.

La pire chose de toutes pour moi, cependant, fut de te voir t'étioler, dépérir dans ce foyer où il n'y avait ni oxygène, ni bonheur. C'est le coeur brisé que je t'ai laissée en arrière pour faire face non pas à la musique mais au tohu bohu. Tu ne m'en as jamais voulu, tu as compris que je sauvais ma peau. Oui, c'est dommage que tu n'aies pas eu la chance de connaître notre père avant que l'alcoolisme ne l'ait transformé en monstre. Il n'est pas trop tard pour le faire cependant. As-tu oublié que l'âme est immortelle? As-tu pensé lui confier ce que tu as dans le coeur? Parle-lui, comme moi je lui parle souvent: ça va t'aider à voir clair en toi-même. Donne-toi la chance de ressentir sa bonté, son intérêt, l'amour qu'il a toujours eu pour toi. Notre père était profondément humain, un guérisseur. Alors demande-lui de te secourir. Laisse son âme parler d'amour à la tienne.

VIE = AMOUR = DIEU = VIE

Est-ce que tout ceci fait prêchi-prêcha? Tu me dis que tu en as assez de la vie que tu mènes, que tu es bourrée de peur? Je te comprends donc, ma belle chrysalide; il y a trop de papillons dans ton pauvre estomac!

Je t'ai déjà expliqué par quels moyens concrets je me façonne un psychisme équilibré, voici maintenant le moment de te parler de l'essentiel, mon itinéraire spirituel. Ce cheminement constitue la pierre angulaire de la Yolande que je suis devenue; je lui dois ma métamorphose. J'ai envie aujourd'hui de partager avec toi mon émerveillement, te montrer le monde avec mes yeux d'enfant enfin heureuse.

Tu as peut-être l'impression que je connais le secret de la réussite et du bonheur et, d'une certaine façon, c'est vrai... Mais si tu attends de moi une recette-miracle, si tu espères que je redevienne la fée de ton enfance qui peut tout régler à coups de baguette magique, tu seras déçue. Ce que j'ai à te proposer c'est une combinaison de deux éléments: collaborer à la grâce de Dieu qui t'habite puisque tu vis et travailler fort pour construire ton bonheur. Que c'est difficile de cerner la spiritualité avec des mots! Je me trouve bien téméraire de me lancer dans cette aventure mais pour toi, Lorraine, je vais essayer.

Je me rappelle un soir où, fatiguée d'entendre toujours parler de Dieu et de n'y rien comprendre, j'ai demandé à une personne que j'estimais beaucoup: «Ça veut dire quoi avoir une vie spirituelle? J'ai beau lire des tas de livres auxquels je ne comprends rien, prier, aider du monde, ne pas boire, je ne trouve pas.» Le tout avait été lancé sur un ton assez agressif, mais cet homme m'a souri. Que j'enviais sa sérénité, son calme! Suspendue à ses lèvres, j'ai attendu LA réponse, LA révélation, celle qui allait m'ouvrir toutes grandes les portes du nirvana.

Quelle ne fut pas ma déconfiture, en entendant cet intellectuel à l'esprit subtil, me répondre le plus sérieusement du monde: «La vie spirituelle... c'est laver sa vaisselle quand elle est sale.»

Sur ce, il m'a plantée là, démontée, interloquée, bouche bée! Se payait-il ma tête? Pourtant j'étais certaine qu'il avait senti le grand désarroi caché derrière ma question. Pourquoi m'avait-il vexée? Quelle réponse plate lancée à une femme aussi intelligente que moi! C'était l'époque où j'étais fermement convaincue que personne ne pouvait me comprendre parce que j'étais trop brillante. Moi qui rêvais de faire des choses grandioses pour améliorer le sort de l'humanité, on me disait d'aller laver ma vaisselle!

Je te vois sourire, Lorraine; toi aussi, n'est-ce pas...? Se pourrait-il que ce soit nous qui gâchions notre propre vie par des attentes aussi irréalistes que mégalomanes? En tout cas, suite à la remarque de cet homme (merci Pierre), ce fut assez difficile pour moi, le lendemain matin, de ne pas remarquer que mon évier était plein de vaisselle sale. Que voulez-vous, j'étais tellement occupée à lire Teilhard et Varone! Que tu as raison, Lorraine, d'écrire qu'on se retrouve dans les petites choses. Ça n'existe pas les petites actions car elles valent bien mieux que la plus grande intention.

J'ai donc, pour une fois dans ma vie, suivi la suggestion de quelqu'un au lieu de n'en faire qu'à ma tête et, prosaïquement, j'ai lavé ma vaisselle. En disputant, en sacrant, en grognant mais, au moins, je le faisais. C'est ainsi que petit à petit, j'ai appris à me discipliner, repris goût à l'ordre et à la propreté, à ne plus me laisser mener par mes émotions malades. De fil en aiguille, j'ai également appris à exécuter d'humbles tâches avec soin et amour. J'ai repris pied dans la réalité et trouvé Dieu. Ce Dieu que j'avais tant cherché dans les mondanités, les bals, l'argent, le magasinage, les voyages, les amours faciles et l'alcool.

Grâce à ce nouveau mode de vie, j'ai repris contact avec le monde qui m'entourait. Je suis sortie de l'éparpillement mental et j'ai appris ce que je n'avais jamais appris à faire de toute mon existence: vivre le moment présent. De là à en jouir, il n'y avait qu'un pas, relativement vite franchi. Depuis, je vole d'une découverte à l'autre, me familiarisant avec l'omniprésence de la vie, m'émerveillant devant ses manifestations: fleurs, oiseaux, couleurs, gouttes de pluie, rires d'enfants ou tout simplement les rayons du soleil qui me réchauffent à travers des fenêtres bien lavées. Dire que nous gueulons contre Dieu, soi-disant parce qu'Il ne se manifeste pas. Si nous lavions nos vitres, peut-être Son soleil pourrait-il nous réchauffer. Lorsque je tente de m'améliorer, que je travaille sur mes défauts, c'est un petit carreau de fenêtre que je nettoie pour laisser entrer la lumière de Dieu.

Tenez, au moment où j'écris ces lignes, j'admire les fleurs que j'ai plantées dans mon patio. Je me suis ingéniée à faire d'intéressants mariages de couleurs et, chaque fois que je les admire, je me dis que Dieu nous a sûrement beaucoup aimés pour faire ce royal cadeau à nos yeux. Effrontés, mais gracieux, les écureuils quémandent d'appétissantes «pinottes» sous le regard outré de ma chatte Ninja qui n'ose les attaquer. Elle a compris qu'ils font partie de la maison, puisque je les nourris et elle respecte cela. À propos... es-tu jalouse de cette chatte, Lorraine? Tu as priorité sur elle tu sais, et le jour où tu voudras bien te laisser apprivoiser, mon charmant petit hérisson, mes bras seront bien grands ouverts pour t'accueillir.

Depuis que j'ai ouvert mon coeur à l'Amour, laisse-moi te dire qu'il est devenu grand... grand... immense... sans fond... et toutes les créatures de Dieu y ont une place, peu importe leur degré d'évolution. Oui, du ver de terre à la salamandre, de la chenille au papillon, du chat au cheval, du singe à l'homme, des Indiens aux Noirs, en passant par les Anglophones, de ma nièce à toi, de notre père à notre mère, il y a de la place pour tout le monde, même pour MOI! Le passé? Fini, oublié, enterré, terminé et je suis beaucoup trop occupée à jouir de toutes les splendeurs de la création pour donner prise aux énergies inférieures.

Qu'est-ce qui m'a aidée le plus à avancer, à me sortir du pétrin? C'est en y mettant de l'action que j'ai vu clair dans mon affaire. Pendant trop longtemps, j'ai confondu prière et méditation avec inertie. Aujourd'hui, j'ai compris qu'action et prière vont de pair et que l'un ne remplace pas l'autre. Autrement dit, je demande à Dieu de me donner la force d'agir, non pas de faire les choses à ma place. Mon slogan, si je puis l'appeler ainsi, est: «L'action dans le doute.» Si j'attends d'être parfaitement prête je ne mettrai jamais un pied devant l'autre. J'ai maintenant compris que, dans la vie, on doit surtout essayer sans se préoccuper de la réussite. C'est en tombant qu'un enfant apprend à marcher.

Fais ton possible
Dieu fera l'impossible.

Je recherche constamment des choses qui m'élèvent l'âme. Je sélectionne minitieusement, par exemple, ce que je mange, lis, écoute ou qui je fréquente. Lorsqu'il m'arrive de régresser, je ne prends plus panique. Je me dis que j'ai perdu une maille de mon tricot quelque part. Je prends alors le temps de descendre profondément dans mon for intérieur pour aller chercher, avec douceur, tendresse et amour, ce petit bout de moi que j'avais oublié ou renié. Je l'amène à la lumière, la cajole, le rassure et surtout le ré-éduque.

«La peur et la foi sont ici-bas les deux grandes forces supérieures à toutes les autres. Or la foi l'emporte sur la peur.»*

Tout ceci n'est pas facile, me diras-tu ma chère soeur, et je suis bien d'accord. Ça va mieux le jour où on arrête de se stresser, de s'angoisser, de s'inquiéter avec des questions aussi bêtes qu'inutiles. «Où allons-nous?»... Je ne cherche plus le but de la vie; le voyage me suffit! Je ne me rappelle plus dans quel bouquin John Steinbeck mentionne un verbe archaïque espagnol *vacillar* qui veut dire: partir vers une destination précise, mais ce n'est pas essentiel d'y arriver. L'important c'est d'avoir du plaisir, de la joie en s'y rendant. Il a raison, et depuis que je flâne au lieu de forcer, que je me laisse bercer par l'existence au lieu de vouloir tout mener... quel repos, quelle paix. Le bonheur s'installe enfin!

Depuis que je travaille sur la qualité de ma vie intérieure, je vis l'inespéré. Non seulement j'arrive à donner ma pleine mesure mais je me dépasse, vais au-delà de moi-même dans l'accomplissement joyeux de mon destin. Tu ne te sens pas capable de me suivre, Lorraine? C'est normal, tu es tellement fatiguée.

Fermée à l'amour, tu marches sur ton pouvoir personnel au lieu de te nourrir à l'Énergie universelle. Détends-toi, la guerre est finie! Je comprends que, pour le moment, tu sois incapable de t'aimer et pourtant... l'Amour est un besoin fondamental sans lequel l'homme ne peut vivre. En attendant que tu y arrives, laisse-moi être porteuse de l'amour inconditionnel de Dieu à ton égard. Après tout Il se manifete par les humains.

Tu doutes de la bonté de Dieu? Tu n'es pas la seule; tant de gens se questionnent sur ce qu'ils appellent les épreuves de la vie: maladie, guerre, pollution, etc. Où est Dieu là-dedans? Pourquoi toujours Le blâmer de la mauvaise gestion que nous faisons des biens qu'Il nous a confiés? S'il y avait moins d'égoïsme et plus d'amour, tous ces problèmes disparaîtraient comme par enchantement. Tu as encore peur? Dis-toi que le jour où tu vas te décider à miser sur la confiance au lieu d'avoir peur, ta vision va changer. C'est plus facile à faire que de changer le monde, j'en sais quelque chose. Par où commencer? En t'aimant. Car je sens, je sais que remords et culpabilité te rongent. Pourtant Dieu et ta fille t'ont pardonné. Alors?

---

* *Vivez pleinement votre vie,* Dr Norman Vincent Peale, Presses de la Cité, Montréal, 1958, p.75.

«Tout ce que nous ressentons, si ce n'est pas le reflet de l'Amour, indique une perception déformée que seul le pardon peut corriger.»*

Tu vas dire que je fais de l'obsession, que je reviens toujours à la notion de l'amour. C'est vrai parce que c'est la SEULE façon de trouver Dieu ou la Vie, si tu préfères. Tu me dis parfois que tu voudrais bien aimer, mais tu ne sais pas comment. Pourtant, tu es née, comme tout le monde, avec la capacité d'aimer. C'est ce que j'appelle ta parcelle divine. Il suffit de la développer, de la nourrir, de la cultiver pour atteindre le but ultime de l'existence: apprendre à aimer. C'est possible, tout s'apprend. Moi non plus je ne savais pas et je me permets de t'énumérer ici les neuf composantes de l'amour** sur lesquelles je travaille pour m'approcher de la pensée de Jésus.

La patience,
La bonté,
La générosité,
L'humilité,
La courtoisie,
Le désintéressement,
Le bon caractère,
La candeur,
La sincérité

Si ça te tente, tu peux toujours essayer de t'améliorer avec moi, faire un bon nettoyage de tes fenêtres, toi aussi. N'oublie pas que l'amour est la plus haute expression que l'humanité puisse atteindre et j'espère, Lorraine, t'avoir donné envie de m'accompagner dans cette voie. Si tu crains de te perdre, laisse-moi te rassurer: c'est depuis que j'ai accepté d'être dépossédée de moi-même que je me suis retrouvée.

Tu es cependant libre de prendre la direction que tu veux et je vais t'aimer quoi que tu décides. Égoïstement, je ne puis m'empêcher de souhaiter que toi et ceux qui se cherchent se joignent à moi. Il y aurait encore plus d'amour dans le monde. «Quand les hommes vivront d'amour...»

Quel a été mon choix finalement? J'ai choisi l'espoir au lieu du désespoir, j'ai choisi de vivre plutôt que de mourir, j'ai choisi la paix plutôt que la guerre, j'ai choisi de me changer plutôt que de me subir,

---

* *Aimer c'est se libérer de la peur,* Dr Gerald Jampolsky, Les Éditions Soleil, 1981.
** *La plus grande chose au monde,* Drummond, Henry, Les Éditions un monde différent Ltée Brossard, 1983, pp. 33-34.

j'ai choisi l'infini au lieu du zéro, j'ai choisi de penser que la Vie me mène vers Dieu, qu'elle n'est pas une absurdité sans nom. J'ai choisi d'aimer au lieu de haïr.

Je sais, je sens que nous sommes appelées à faire un long voyage ensemble. Rejoins-moi le plus vite possible si tu le peux. Je t'attends...

JE T'AIME!

ÉPILOGUE*

*Un seul instant de lumière et de plénitude a suffi
pour me faire oublier et compter pour rien
un interminable chemin de quêtes et de souffrances.*

*L'intensité du mal était là, à demeure, chez moi.
La peur était l'incontestable maîtresse de ma vie.
Toutes mes voiles aboutissaient à l'impasse.*

*Subitement, l'incroyable s'est produit!
Une audace qui n'était pas de moi
me poussa au geste libérateur:
Je convoquai autour de moi
tout ce que l'univers pouvait contenir d'obscurités;
avec elles, je reculai jusqu'au plus profond de la nuit.*

*Là, d'une main tremblante,
j'allumai une infime bougie.
Cernée de toutes parts, sa flamme vacillante
inaugura la danse joyeuse.
Malgré l'omniprésence du redoutable adversaire,
en dépit de l'étendue sans fin du terrible empire,
je la vis persister, sereine, en son aisance et sa grâce.*

*Non satisfaite d'ignorer sans plus la menaçante présence,
je la vis obliger l'adversaire
à lui céder tout l'espace dont elle avait besoin
pour être plus libre en chacun de ses mouvements.*

*J'ai compris – ô quelle joie!–
que toutes les forces de mort assemblées
ne pouvaient rien contre ma plus infime clarté!
Ma lampe est là, inextinguible et immortelle.*

---

* *Naissances*, Yves Girard, O.C.S.O. Éditions Anne Sigier.

ANNEXE I

ÉTAT DE LA RECHERCHE

Par Marie Dumas, M. Sc., Conseillère en alcoolisme
et toxicomanie, Santra Inc. (Santé/Travail)
LAVALIN SANTÉ

À LA RECHERCHE D'UNE DÉFINITION

Plusieurs disciplines ont apporté, selon leur propre perspective, des définitions différentes de l'alcoolisme, mais toutes s'entendent pour dire que cette maladie ne peut être comprise et définie comme «maladie unique»: ses formes et ses causes sont multiples et s'échelonnent sur un continuum du boire quotidien au boire excessif, de la consommation normalement acceptable et culturellement acceptée, a une consommation déviante et parfois criminelle et/ou suicidaire. Quelles sont les lignes de démarcation entre ces types de consommation? Quand dépassons-nous le stade du «buveur social» et devenons-nous alcoolique? Nous ne rendrons pas compte de l'évolution du concept de l'alcoolisme qui remonte à l'Antiquité; nous ne retiendrons que deux définitions qui ont marqué et orienté les recherches dans ce domaine.

La première de ces définitions est celle de l'O.M.S. (Organisation mondiale de la santé). L'O.M.S. emploie les termes de *«dépendance chimique» et «dépendance alcoolique»* pour définir l'alcoolisme.
La «dépendance chimique» fait référence a un désir compulsif de consommer de l'alcool (*craving* pour en ressentir les effets ou pour éviter les états désagréables (symptômes de sevrage: tremblements, nausées...) dus au manque d'alcool.

La «dépendance alcoolique» amène la personne à poursuivre sa consommation bien qu'elle reconnaisse que l'alcool est néfaste dans un ou plusieurs domaines de sa vie (physique, psychologique, social, familial, occupationnel).

La deuxième définition retenue ici, est proposée par l'American Psychiatric Association (A.P.A.).

Dans son Manuel diagnostique et statistique des troubles mentaux (*Diagnostic and Statistical Manuel*, DSM III (R)), l'A.P.A. établit une distinction entre la *dépendance à l'alcool et l'abus de l'alcool.*
La dépendance à l'alcool comporte plusieurs critères; au moins trois de ces critères énumérés seront nécessaires pour déterminer la présence d'une dépendance.

– L'alcool, est pris en plus grande quantité ou plus longtemps que l'individu ne l'avait prévu.

– Désir persistant de consommer où plusieurs tentatives pour réduire sa consommation.

– Préoccupation constante et mise en place de scénario pour se procurer de l'alcool.

– Apparition de symptômes de sevrage durant les activités professionnelles (travail, école, maison).

– Abandon ou réduction d'activités sociales à cause de la consommation d'alcool.

– Poursuite de la consommation d'alcool malgré la connaissance des problèmes sociaux, psychologiques, physiques dus à cette consommation.

– Tolérance marquée; augmentation de la quantité (au moins 50%) pour obtenir l'effet désiré ou l'effet est nettement diminué avec un usage continu.

L'abus d'alcool est un mode d'utilisation inadapté de l'alcool. Un des symptômes suivants est nécessaire pour qualifier un abus d'alcool:

– Poursuite de la consommation malgré la connaissance de problèmes sociaux, physiques, familiaux, dus à l'utilisation du produit.

– Poursuite de l'utilisation d'alcool dans des situations risquées (ex. conduite en état d'intoxication).

Le DSM III (R) décrit l'alcoolisme surtout par la perte de contrôle sur le produit et pas son usage continu.

L'ALCOOLISME FAMILIAL

De ces modèles d'analyse ressort le concept de l'alcoolisme familial qui nous intéresse particulièrement ici. L'alcoolisme familial, mis à l'écart pendant plusieurs années, est repris depuis les années 60-70.

Ce concept suggère que la personne hérite non pas de la maladie proprement dite, mais d'une prédisposition à l'alcoolisme. L'apparition de la maladie sera fonction de la relation entre ces dispositions innées et d'autres déclencheurs (sociaux, psychologiques).

Des études épidémiologiques ont montré l'existence de plusieurs facteurs dans le développement de la maladie de l'acoolisme et l'importance de ceux-ci variera d'un individu à un autre. Les principales recherches qui nous ont permis de croire en l'existence de facteurs génétiques sont les études familiales et les études de sujets adoptés.

LES ÉTUDES FAMILIALES

Des études familiales montrent que le taux d'alcoolisme est environ de 4 à 5 fois plus élevé dans une famille ou il y a des sujets alcooliques que dans la population en général. Chez les sujets de sexe masculin, le taux d'alcoolisme peut atteindre 25% dans la parenté biologique (frères, oncles) tandis que chez les sujets de sexe féminin il se situe entre 5 et 10% dans la parenté biologique (soeurs, tantes). Cloninger (Cloninger, 1978) impute ces différences à des facteurs sociaux-culturels (Dumas., 1987) mais le débat reste ouvert.

ÉTUDES DE SUJETS ADOPTÉS

Les études menées particulièrement au Danemark et en Suède (Schuckit et coll. 1972, Goodwin et coll.1973,1974, Cadoret et Gath 1978, Cloninger 1983) démontrent que les enfants nés de parents alcooliques qui sont adoptés immédiatement après la naissance par une famille non alcoolique ont malgré tout un taux d'alcoolisme élevé.

Les recherches sur les demi-frères et soeurs confirment les résultats des recherches sur l'adoption; ces études concluent à une vulnérabilité héréditaire.

Les recherches actuelles (enzymatiques, études sur les neurotransmetteurs, études électrophysiologiques) tentent d'identifier différents marqueurs génétiques, ou caractères distincts chez les sujets à haut risque, soit les enfants d'alcooliques.

Bien que porteurs d'une prédisposition à l'alcoolisme, toutes les personnes ne contracteront pas la maladie; tous les fils ou les filles d'alcooliques ne deviendront pas eux-mêmes alcooliques. L'alcoolisme, comme les autres maladies multifactorielles, se caractérise par une hétérogénéité de facteurs génétiques et par des influences du milieu et de l'environnement (Hérédité/milieu); ces influences sociales peuvent être assez fortes pour freiner ou mettre en échec le développement de la maladie même s'il y a présence de marqueurs génétiques.

L'identification et la connaissance de ces marqueurs permettront le dépistage des sujets vulnérables à la maladie et rendra possible une intervention préventive par l'information et la sensibilisation de ce qu'est l'alcoolisme.

N.B. Des études sur l'alcoolisme familial se font présentement au Centre de recherche de l'hôpital Douglas à Verdun. De nombreux participants sont requis pour ces recherches. Si vous désirez y participer, vous pouvez rejoindre l'équipe de recherche au numéro de téléphone (514) 761-6131.

Marie Dumas, M.Sc. Conseillère en alcoolisme et toxicomanie, Santra (Santé/travail) Inc., LAVALIN SANTÉ.

BIBLIOGRAPHIE

American Psychiatric Association — Diagnostic Statistical Manuel of Mental Disorder, DSM III (R)
Washington D.C., 1987.

Cadoret R.J., Gath A. — *Inheritance of alcoholism in adoptees*
Br.J. Psychiatry, 132, 252-258, 1978.

Cloninger C.R., Christiansen K.O. et coll. — *Implications of sex differences in the prevalence of antisocial personality, alcoholism, and criminality for familial transmission.*
Arch. Gen. Psychiatry, 35, 941-951, 1978.

Cotton N.S. — *The familial incidence of alco*holism. A review J. of Stud. on Alcohol 40, 89-116, 1979.

Dumas M. — *Le processus particulier d'engagement dans l'abstinence et la sobriété chez les femmes d'un groupe des Alcooliques Anonymes.*
Université de Montéral, Québec,
Mémoire de maîtrise, Janvier 1987.

Gooewin D.W., Schulsinger F. et coll. — *Alcohol problems in adoptees raised apart alcoholic biological parents.*
Arch.Gen. Psychiatry, 28, 238-243. 1973.

Goodwin D.W., Schulsinger F, et coll. — *Drinking problems in adopted and nonadopted sons of alcoholics.*
Arch.Gen.Psychiatry, 31, 164-169, 1974.

Schuckit M.A., Goodwin D.W. et coll. — *A study of alcoholism in half-siblings.*
Am.J.Psychiatry, 128, 1132-1136, 1972.

ANNEXE II

CARACTÉRISTIQUES DE LA DÉPENDANCE À L'ALCOOL ET DE LA CODÉPENDANCE

Par le Docteur Jean-Pierre Chiasson,
M.D. Amam certifié de L'American Medical
Society on Addictions

LE DÉPENDANT...

Phase primaire

Boit pour se détendre.
Est mal à l'aise dans certaines situations où l'alcool est absent.
Continue de boire quand d'autres ont cessé. Sa tolérance augmente ainsi que sa dépendance.
Est préoccupé par l'alcool.
Dissimule sa consommation.
A des trous de mémoire.
Est incapable de discuter de problèmes.
À un comportement agressif.
Perd tout intérêt.
Évite la famille, les amis.
Consomme le matin.
Ressent de la culpabilité face à ses fausses promesses, ses mensonges.

Phase intermédiaire

Éprouve des ressentiments déraisonnables.
Perd son emploi.
Croit que ses activités dérangent sa consommation.
Perd de la volonté.
Perd sa famille.
Possède une activité mentale diminuée.

Phase critique

La tolérance à l'alcool s'amoindrit.
Est incapable d'agir.
Consomme à l'excès.
Abandonne totalement.

ATTEINT LES BAS-FONDS

LE CODÉPENDANT...

Phase primaire

Soigne les autres, ressent le besoin de contrôler. Peut ainsi s'estimer.
Recherche un partenaire irresponsable.
Se juge et se sent coupable de l'alcoolisme de l'autre.
S'isole.
Est préoccupé par le dépendant.

Phase intermédiaire

Tente de contrôler la consommation, fait disparaître les bouteilles.
Menace, harcèle et réprimande.
Excuse et protège.
Prend en charge les responsabilités du conjoint.
Éprouve de la colère, est déçu.

Phase critique

Tente violemment de contrôler la consommation.
Violente le conjoint.
Se néglige physiquement et mentalement.
A des aventures extraconjugales.
Travaille de façon abusive.
Est obsédé par des activités extérieures.
Souffre de maladies reliées et abuse des médicaments: ulcères, dépression, obésité, tranquillisants.
A des sautes d'humeur perpétuelles.
Est en colère.
Est prudent et discret quand il s'agit de la vie familiale.

ATTEINT LES BAS-FONDS

SYMPTÔMES ANNONÇANT LA RECHUTE CHEZ LE CODÉPENDANT

SIGNES PRÉCOCES

Perte passagère des habitudes quotidiennes.
Apparence personnelle négligée.
Difficultés à déterminer et à respecter ses limites avec les enfants.
Perte de planification constructive.
Indécision.
Comportements compulsifs.
Fatigue et manque de repos.
Retour des ressentiments déraisonnables.
Retour de la tendance à vouloir contrôler les gens, les situations, les choses.
Est sur la défensive.
Apitoiement.
Dépenses excessives.
Troubles d'alimentation – trop ou pas assez.
Agit comme bouc émissaire.

CRISE IMPORTANTE

Retour des peurs et de l'anxiété en général.
Perte de la croyance en une puissance supérieure.
La fréquentation des groupes de soutien devient sporadique.
Est perdu dans ses pensées.
Perd le fil de ses idées.
Confusion.
Sommeil perturbé.
Émotions artificielles.
Perte de contrôle du comportement.
Sautes d'humeur incontrôlables.
Difficulté à maintenir ses amitiés nouvelles (groupes de soutien).
Sentiments de solitude et d'isolement.
Vision étroite des choses.
Retour de l'obsession et crises de panique.
Problèmes de santé.
Usage de médicaments ou d'alcool pour faire face à la vie.
Abandon complet des groupes de soutien et des séances de thérapie.

SIGNES DE GRANDE VULNÉRABILITÉ

Inaptitude à changer ses comportements en dépit de sa connaissance des dangers.
Développement d'une attitude de «je-m'en-foutisme».
Perte totale des habitudes quotidiennes.
Désespoir et idées de suicide.
Écroulement physique.
Effondrement des émotions.

PROGRESSION DE LA CODÉPENDANCE À L'ALCOOLISME

ÉVOLUTION NÉGATIVE

Phase primaire

Est souvent issu d'une famille dysfonctionnelle et a appris à protéger les autres comme barème d'auto-appréciation.
N'a pas réussi à guérir ses parents, guérira donc le conjoint.
Se juge et se croit coupable de la consommation de l'autre.
Trouve un partenaire irresponsable pour le contrôler.
Commence à douter de sa perception des faits et veut contrôler la consommation de l'alcoolique.
Vie sociale touchée. Se retranche de la société.
Dissimule l'alcool dans la maison.

Phase intermédiaire

Tente de contrôler la consommation en faisant disparaître les bouteilles, lance des menaces futiles, harcèle et réprimande.
Est obsédé par le fait qu'il est témoin de la consommation et qu'il doit protéger l'autre. Excuse le comportement auprès des amis et de la famille.
Joue un rôle essentiel dans la famille en empêchant les contacts entre l'alcoolique et ses enfants.
Colère et déception face aux promesses du conjoint.
Prend en charge les responsabilités familiales du conjoint. Remet tout en ordre après les périodes de consommation, prend le volant pour rentrer à la maison, etc.
Exprime un ressentiment inopportun, maltraite les enfants.

Phase critique

Tentatives plus agressives du contrôle de la consommation de l'autre.
Violence accrue envers son conjoint.
Liaisons extra-conjugales; abus de travail; intérêt obsessionnel pour des préoccupations extérieures.
Juge sévèrement mais se raccroche. Semble en colère la plupart du temps. Évite de parler de la vie familiale.
Se néglige physiquement et mentalement.
Maladies reliées: ulcères, urticaire, migraines, dépression, obésité.
Usage de médicaments, tranquillisants.
Sautes d'humeur fréquentes.

PROGRAMME DE RÉTABLISSEMENT

DÉBUT DE TRAITEMENT

Nouvel espoir
Se renseigne au sujet de cette maladie qu'est l'alcoolisme et se sent moins coupable de la consommation de l'autre.
Craint d'être tenu responsable de l'alcoolisme du conjoint.
Désire être aidé quoique fasse son partenaire.
Évaluation réaliste du passé.
Cesse de parler à l'alcoolique de sa consommation et apprend à partager avec les autres.
Dégoûté de sa propre obsession envers la consommation du conjoint.
Fait face à son impuissance.

ATTEINT LES BAS FONDS

Est fatigué et malade d'être malade et fatigué

PHASE INTERMÉDIAIRE

Nouveaux intérêts
Éprouve moins le besoin de contrôler les autres et de se justifier.
Apprend à se connaître.
Nouveaux amis.
Cesse de surveiller et de contrôler le comportement alcoolique.
Développe la confiance en soi et accepte la responsabilité de sa propre vie.
Permet au conjoint et aux enfants de prendre des décisions.
Ressent moins l'envie de s'évader.
Apprend à dire non à ce qui lui déplaît.
Pensée réaliste.

PHASE FINALE

Nouvelles valeurs: au premier plan, améliorer sa propre personnalité.
Le bien-être ne dépend plus de l'alcoolisme ou de la sobriété du conjoint.
Appréciation réaliste de ses actif et passif. Voit des façons de combler ses besoins.
Nouvelle spiritualité. La famille et les amis apprécient les efforts.
Retour de l'estime de soi et de l'autonomie.
Vie familiale stable.
Soigne son apparence.
Reconnaissance de ses réalisations.

BIBLIOGRAPHIE

ADDICTIVE PERSONALITY
Richard Hofman
Carlton Press, N.Y., 1989

ADULT CHILDREN OF ALCOHOLICS
Janet Geringer Woititz, Ed. D.
Health Communications Inc.

CATALOGUES DE DOCUMENTATION A.C.O.A. (en anglais)
Hazelden Foundation
Pleasant Valley Road
Box 176, Center City
MN 55012-0176
Tel: (612) 257-4010

CHILDREN OF ALCOHOLISM A Survivor's manual
Judith S. Seixas & Geraldine Youcha
Harper & Row

CODEPENDENT NO MORE
Melody Beattie
Hazelden

DAILY AFFIRMATIONS
Rokelle Lerner
Health Communications Inc.

GUIDE D'HYGIÈNE DE VIE POUR HYPOGLYCÉMIQUES (1988)
Jeanne d'Arc Marleau, I.L.
Edition d'Arc
295, rue Tourigny
Trois-Rivières, Québec
G9A 3E3

GUIDE TO RECOVERY A book for adult children of alcoholics
Herbert L. Gravitz/Julie D. Bowden
Learning Publications, Inc.

IT WILL NEVER HAPPEN TO ME Children of alcoholics as Youngsters - Adolescents - Adults
Claudia Black
M.A.C. Printing and Publications Division

L'HYPOGLYCÉMIE ON S'EN SORT!
Jeanne d'Arc Marleau
Éditions d'Arc, 1989
295, rue Tourigny
Trois-Rivières, Québec
G9A 3E3

MAGAZINE CHANGE
Health Communications, inc.

PERRIN & TREGGETT (Catalogue)
POB 190-C
Glen Road
Rutherford, U.S.
07070
Tel.: (201) 460-7912

STAGE II Recovery Life Beyond Addiction
Ernie Larsen
Harper & Row

STRUGGLE FOR... INTIMACY Dedicated to adult children of alcoholics
Janet Geringer Woititz, Ed. D.
Health Communications Inc.

THE ADULT CHILDREN OF ALCOHOLICS SYNDROME From discovery to recovery
Wayne Kritsberg
Health Communications Inc.

Tables des matières

Achevé d'imprimer au Canada
Imprimerie Gagné Ltée Louiseville